Irish Grammar: .

CW00341097

IRISH GRAMMAR
A Basic Handbook

NOEL McGONAGLE

**CLÓ IAR-CHONNACHTA,
CONAMARA.**

ISBN 0 907775 21 7

An Chéad Chló
Officina Typographica 1988
An Dara Cló
Cló Iar-Chonnachta 1991
An Tríú Cló
Cló Iar-Chonnachta 1992
An Ceathrú Cló
Cló Iar-Chonnachta 1994
An Cúigiú Cló
Cló Iar-Chonnachta 1996
An Séú Cló
Cló Iar-Chonnachta 1997
An Seachtú Cló 1998
An tOchtú Cló 1999

CONTENTS

INTRODUCTION

The usual practice with Irish grammars in this century has been to write them in Irish. In many cases, unfortunately, this is simply to preach to the converted. There is certainly a need for such detailed, comprehensive grammars. There is also, however, a desire and a need for a more basic type of grammar written in English which would be pitched at a simpler, more forthright and practical level. It would be aimed mainly at teachers, tutors and mature learners of Irish, those who want a concrete, basic grounding in grammar but are not necessarily linguistically orientated or do not want to become embroiled in the labyrinth of Irish grammar generally.

The order in which the various lessons appear in this work does not necessarily have to be followed. The freedom to pick and choose is left to the learner although there is a certain sequence of fundamental lessons which will have to be followed at the outset.

The aim of this book is to provide a basic working and reference grammar of Irish in the English language. Not all the various grammatical rules or exceptions to those rules are included since such a plethora of data tends to blur the general picture and deter the learner.

IRISH DICTIONARIES

There are two major dictionaries for the modern Irish language:

1. *English-Irish Dictionary* by Tomás de Bhaldraithe;
2. *Foclóir Gaeilge-Béarla* by Niall Ó Dónaill (Irish-English Dictionary, two versions, a longer and a shorter one).

Of the two, the latter provides much more grammatical material and, in many ways, can serve as a consultative grammatical work. Also, it is more modern, and therefore incorporates recent developments in standard

Irish grammar. A word of warning when consulting Irish-English, English-Irish dictionaries or vocabularies. Where nouns are given, their gender is indicated with the abbreviations *b* (*baininscneach* = feminine) and *f* (*firinscneach* = masculine) or *f* (= feminine) and *m* (= masculine). Check each dictionary or vocabulary to ensure the meaning of the abbreviations used.

ABBREVIATIONS

acc.	– accusative	len.	– lenition
adj.	– adjective	masc.	– masculine
art.	– article	neg.	– negative
comp.	– comparative	no.	– number
cond.	– conditional	nom.	– nominative
cons.	– consonant	obj.	– object
dat.	– dative	part.	– particle
decl.	– declension	pass.	– passive
def.	– definite	pl.	– plural
dep.	– dependent	poss.	– possessive
dir.	– direct	prep.	– preposition(al)
fem.	– feminine	pres.	– present
fut.	– future	ref.	– referring
gen.	– genitive	reg.	– regular
imperf.	– imperfect	rel.	– relative
impv.	– imperative	s(in)g.	– singular
indef.	– indefinite	subj.	– subject
indep.	– independent	super.	– superlative
indir.	– indirect	vb.	– verb(al)
interr.	– interrogative	voc.	– vocative
irreg.	– irregular		

a b c d e f g h i l m n o p r s t u

The other letters of the English alphabet sometimes occur in Irish but only in loan-words from other languages. They never undergo any alteration.

LENITION

This occurs with certain consonants only:

e.g.
b- > b*h*-
c- > c*h*-
d- > d*h*-
f- > f*h*-
g- > g*h*-
m- > m*h*-
p- > p*h*-
s- > s*h*-
t- > t*h*-

Note: the consonants which cannot be lenited are: h l n r.

ECLIPSIS

This occurs with all vowels but only certain consonants:

e.g. *n*-a-, *n*-e-, *n*-i-, *n*-o-, *n*-u-
b- > *m*b-
c- > *g*c-
d- > *n*d-
f- > *bh*f-
g- > *n*g-
p- > *b*p-
t- > *d*t-

Note: the consonants which cannot be eclipsed are: h l m n r s.

I

'BROAD' AND 'SLENDER' CONSONANTS

A consonant or group of consonants is said to be 'broad' if the neighbouring vowel is a 'back' vowel (i.e. *a, o, u*).

e.g.	*doras*	door:	*d, r* and *s* are all 'broad'.
	focal	word:	*f, c* and *l* are all 'broad'.
	sagart	priest:	*s, g* and *rt* are all 'broad'.

A consonant or group of consonants is said to be 'slender' if the neighbouring vowel is a 'front' vowel (i.e. *i, e*).

e.g.	*mín*	smooth:	*m* and *n* are both 'slender'.
	tine	fire:	*t* and *n* are both 'slender'.
	deifir	haste:	*d, f* and *r* are all 'slender'.

'LONG' VOWELS / 'SHORT' VOWELS

Vowels in Irish have two qualities: 'short' and 'long'.

Short vowels: a, e, i, o, u
Long vowels: á, é, í, ó, ú

CASES OF NOUNS IN SINGULAR AND PLURAL

NOMINATIVE

the *man* is here
the *boy* is there

the *men* are here
the *boys* are there

ACCUSATIVE

I see the *man*
I eat the *sweet*

I see the *men*
I eat the *sweets*

Note: there is really no need to distinguish between the nominative and accusative cases in Irish as the same form of the noun is used for both.

GENITIVE

the *man's* name
the *child's* coat

the *men's* names
the *children's* coats

Note: the genitive case occurs much more frequently in Irish than in English and also under different circumstances:
e.g. a noun which is the direct object of a verbal noun is usually in the genitive case (doing the *work*, praising the *men*).
a noun governed by a compound preposition is also usually in the genitive case (during the *day*, above the *door*).

DATIVE
with/to/from etc. the *woman/women*

VOCATIVE
come here, *girl/girls*!

WORD ORDER IN IRISH SENTENCE

Generally speaking, the verb occurs at the beginning of a simple sentence in Irish.
The verbal particles (e.g. negative, interrogative etc.) precede the verb in such cases.
Where the verb does not occupy this initial position in the sentence, it is for special reasons which must be discussed according to context.

The normal word order in an Irish sentence is:

VERB	(SUBJECT)	(OBJECT)	(ETC.)
bhuail	an fear	an cat	inné
beat	the man	the cat	yesterday
glan		an chistin	anois!
clean		the kitchen	now!
dúnann	sé	an doras	arís
closes	he	the door	again
molfaidh	an bhean	a mac	inniu
will praise	the woman	her son	today

3

There are two genders in Irish, masculine and feminine, and all nouns fall into one of these categories:

Fem. Nouns		Masc. Nouns	
abhainn	river	asal	donkey
bean	woman	bád	boat
cistin	kitchen	cat	cat
deifir	haste	doras	door
eaglais	church	éan	bird
farraige	sea	fear	man
gaoth	wind	geata	gate
hidrigin	hydrogen	hata	hat
iníon	daughter	iasc	fish
long	ship	leabhar	book
máthair	mother	mac	son
nead	nest	náisiún	nation
oíche	night	oileán	island
páirc	field	peann	pen
riail	rule	rón	seal
seilf	shelf	siopa	shop
tine	fire	teach	house
uaigh	grave	uan	lamb
veain	van	vóta	vote

Note: the gender of a noun will not always be the same in Irish as in English e.g. *girl* in English is feminine but *cailín* (=girl) is a masculine noun in Irish.

LIST OF NOUNS (2)

Fem.		Masc.	
aimsir	weather	athair	father
bó	cow	bus	bus
cos	foot	crann	tree

Fem.		Masc.	
deirfiúr	sister	dochtúir	doctor
éagóir	wrong/injustice	éadach	cloth
fuinneog	window	fómhar	harvest
glúin	knee	garda	guard
íde	fate/treatment	im	butter
lámh	hand	lá	day
móin	turf	múinteoir	teacher
neacht	niece	naomh	saint
obair	work	ór	gold
póg	kiss	pláta	plate
ré	moon	rós	rose
súil	eye	sagart	priest
traein	train	tae	tea
uimhir	number	uncail	uncle

HOW TO RECOGNIZE A MASC. OR FEM. NOUN

The following is only a *general* guideline:

MASC. NOUNS
Nouns with the following endings:

-ín	cailín	girl	ispín	sausage
-án	arán	bread	bradán	salmon
-úr	casúr	hammer	gasúr	boy
-ún	oinniún	onion	náisiún	nation
-óir/-eoir	bádóir	boatman	feirmeoir	farmer
-(a)ire	iascaire	fisherman	ailtire	architect
-(i)úir	saighdiúir	soldier	dochtúir	doctor
-éir	báicéir	baker	siúinéir	carpenter
-(a)í	oibrí	worker	sclábhaí	slave

5

Nouns with the following endings:

-óg/-eog	bábóg	doll	fuinneog	window
-(i)úint	canúint	dialect	creidiúint	credit
-lann	amharclann	theatre	bialann	restaurant
(poly-syllabic)	-(e)acht	éisteacht	hearing	

DEFINITE ARTICLE

There is no indefinite article in Irish. The noun standing alone constitutes an indef. noun:

e.g. *fear* – (a) man

There are two forms of the def. art.

an and *na*

AN is employed *only* in sing.
is employed in nom./acc., gen. and dat. cases with masc. nouns
is employed in nom./acc. and dat. cases with fem. nouns.

NA is employed *always* in pl. with masc. and fem. nouns
is employed in gen. sing. with fem. nouns.

NOM./ACC. SING. OF DEFINITE NOUNS

Form of def. article: *an*

MASC.

It prefixes *t-* to initial vowel of masc. nouns:

an *t*-asal
an *t*-éan
an *t*-uan

FEM.

It lenites the initial consonant of fem. nouns:

> an *bh*ean
> an *ch*istin
> an *fh*arraige
> an *gh*aoth
> an *mh*áthair

Exceptions: nouns whose initial consonants are:

> *d-/t-*,   e.g. an deifir, an tine

It prefixes *t* to nouns whose initial is *s* + vowel, *sl-*, *sn-*, *sr-*:

> e.g. an *t*seilf

GENITIVE SING. OF DEFINITE NOUNS

Form of def. article with masc. nouns: *an*
It lenites the initial consonant of noun:

> e.g. hata an *fh*ir   the man's hat
> máthair an *mh*ic   the son's mother

Exceptions: nouns whose initial consonants are:

> *d-/t-* e.g. bun an dorais   (the) bottom of the door
> fear an tí   (the) man of the house

t is prefixed to nouns whose initial is *s* + vowel, *sl-*, *sn-*, *sr-*:
e.g. cistin an *t*sagairt   (the) kitchen of the priest

Form of def. article with fem. nouns: *na*
It prefixes *h* to the initial vowel of noun:

> e.g. máthair na *h*iníne   the daughter's mother

FEM.		MASC.	
abhainn	> abhann	asal	> asail
bean	> mná	bád	> báid
cistin	> cistine	cat	> cait
deifir	> deifre	doras	> dorais
eaglais	> eaglaise	éan	> éin
farraige	> farraige	fear	> fir
gaoth	> gaoithe	geata	> geata
hidrigin	> hidrigine	hata	> hata
iníon	> iníne	iasc	> éisc
long	> loinge	leabhar	> leabhair
máthair	> máthar	mac	> mic
nead	> neide	náisiún	> náisiúin
oíche	> oíche	oileán	> oileáin
páirc	> páirce	peann	> pinn
riail	> rialach	rón	> róin
seilf	> seilfe	siopa	> siopa
tine	> tine	teach	> tí
uaigh	> uaighe	uan	> uain
veain	> veain	vóta	> vóta

8

The following is a list of preps. which introduce the dat. case (here with def. art.):

ag an ar an as an chuig an *faoin* leis an *ón* roimh an thar an tríd an um an	Always *eclipse* initial consonant of noun except where that cons. is *d* or *t*. Prefix *t* to fem. noun beginning with *s* + vowel, *sl-, sn-, sr-*.
sa(n) (The *-n* occurs before initial vowel or *f*) *den* *don*	Always *lenite* initial consonant of noun except where that cons. is *d* or *t*. Prefix *t* to fem. noun beginning with *s* + vowel, *sl-, sn-, sr-*.

NOM./ACC./DAT. PLURAL OF DEFINITE NOUNS

Form of def. article: *na*
It does not alter the initial consonant of nouns:

e.g.　na mná
　　　 na fir
　　　 na cait
　　　 na báid

9

It prefixes *h* to the initial vowel of nouns:

e.g.   na *h*éin
       na *h*éisc
       na *h*uain

GEN. PLURAL OF DEFINITE NOUNS

Form of def. article: *na*

It causes eclipsis of initial consonants and vowels of nouns:

e.g.   na *m*bád
       na *g*cat
       na *b*páirceanna
       na *n*-iasc
       na *d*tinte

PLURAL NOUNS

Note: gender of nouns in pl. is of no importance:

SG. NOUN   PLURAL NOUN

                  NOM./ACC./DAT.   GEN. (this is the same
                                    as other column
                                    unless stated)

abhainn	aibhneacha	
asal	asail	asal
bean	mná	· ban
bád	báid	bád
cistin	cistineacha	
cat	cait	cat
doras	doirse	
eaglais	eaglaisí	

NOM./ACC./DAT.	GEN. (this is the same as other column unless stated)

SG. NOUN	NOM./ACC./DAT.	GEN.
éan	éin	éan
farraige	farraigí	
fear	fir	fear
gaoth	gaotha	gaoth
geata	geataí	
hata	hataí	
iníon	iníonacha	
iasc	éisc	iasc
long	longa	long
leabhar	leabhair	leabhar
máthair	máithreacha	
mac	mic	mac
nead	neadacha	
náisiún	náisiúin	náisiún
oíche	oícheanta	
oileán	oileáin	oileán
páirc	páirceanna	
peann	pinn	peann
riail	rialacha	
rón	rónta	
seilf	seilfeanna	
siopa	siopaí	
tine	tinte	
teach	tithe	
uaigh	uaigheanna	
uan	uain	uan
vóta	vótaí	

It can be noticed from previous pages that the noun in the gen. pl. sometimes uses its nom. sg. form and other times the nom. pl. form. The rule governing which form to use is as follows:

When to use nom. sg. form:
i) in those nouns whose pl. is formed by making the final consonant slender:

    e.g.   as*al* nom. pl. as*ail*
                    fe*ar* nom. pl. f*ir*
                    bá*d* nom. pl. bá*id*
                    bac*ach* nom. pl. bac*aigh*

ii) in those nouns whose pl. is formed by simply adding -*a* to the nom. sg. form:

    e.g.   ceart nom. pl. ceart*a*
                    bos nom. pl. bos*a*
                    fuinneog nom. pl. fuinneog*a*

ADJECTIVE

The adjective in Irish generally follows the noun it qualifies. In such cases it agrees with that noun in case and number.

LIST OF ADJECTIVES

ard	high	geal	bright
bán	white	glas	green
beag	small	gorm	blue
buí	yellow	íseal	low
cróga	brave	luath	early
dána	bold	mór	big
dearg	red	neodrach	neutral
donn	brown	óg	young
dorcha	dark	pearsanta	personal

LIST OF ADJECTIVES

dubh	black	ramhar	fat
éadrom	light	saolta	worldly
fada	long	te	hot
gaofar	windy	uafar	horrible

NOUN + ADJECTIVE

NOM./ACC./DAT. CASE – SINGULAR

Fem. Noun

		Masc. Noun	
abhainn *mh*ór	a big river	asal beag	a small donkey
bean *bh*eag	a small woman	bád éadrom	a light boat
cistin *fh*ada	a long kitchen	cat dána	a bold cat
deifir *mh*ór	great haste	doras beag	a small door
páirc *gh*las	a green field	éan cróga	a brave bird

Rule: the initial consonant of the adjective is *always* lenited when the noun it qualifies is feminine, singular and in the nom./acc./dat. case. This is true whether the noun is definite or indefinite.

an abhainn *mh*ór	the big river	an t-asal beag	the small donkey
an bhean *mh*ór	the big woman	an bád éadrom	the light boat

GENITIVE CASE – SINGULAR

We are only concerned here with the initial letter of the adjective in the genitive singular.

Rule: the initial consonant of the adjective is *always* lenited when the noun it qualifies is masc., sing. and in the gen. case.

e.g. hata an fhir *mh*óir — the big man's hat
  máthair an mhic *bh*ig — the small son's mother

13

The initial consonant of the adj. is lenited in *all* cases of the pl. when the noun it qualifies ends in a *slender* consonant. If the noun ends in a *vowel* or *broad* consonant, there is no lenition:

e.g. fir *bh*eaga   small men
     éisc *mh*óra   big fish
     But: daoine maithe   good people
     hataí na bhfea*r* beag   (the) hats of the small men

Note: the gender of a noun is of *no* significance under any circumstances in the pl.

THE VOCATIVE CASE

NOUNS
The vocative particle *a* comes before noun.
It always lenites initial consonant of noun.

SINGULAR
Generally, in case of 1 decl. nouns, the form of voc. = form of gen. sing.

e.g. hata an amad*áin*   the fool's hat (gen.)
     tar anseo, a amad*áin*!   come here, fool! (voc.)
     cóta an mh*ic*   the son's coat (gen.)
     tar isteach, a mh*ic*!   come in, son! (voc.)

In all other decls. and with irregular nouns, the form of voc. = form of nom. sing.

e.g. tagann an bhean isteach   the woman comes in
     tar anseo, a *bh*ean!   come here, woman!
     téann an bádóir amach   the boatman goes out
     téigh amach, a *bh*ádóir!   go out, boatman!

PLURAL

The form of the voc. pl. = nom. pl. except in case of pl. nouns which end in slender consonants. In latter case, -a is added to nom. sing. form to get voc. pl. form. e.g.

NOM. SG.		NOM. PL.	VOC. PL.
bean	woman	mná	a mhná!
máthair	mother	máithreacha	a mháithreacha!
fear	man	fir	a fheara!
dochtúir	doctor	dochtúirí	a dhochtúirí!
garda	guard	gardaí	a ghardaí!
múinteoir	teacher	múinteoirí	a mhúinteoirí!
Gael	Irishman	Gaeil	a Ghaela!
marcach	rider	marcaigh	a mharcacha!

ADJECTIVE IN VOC. CASE

SING.

The adj. is *always* lenited in voc. sg. case when noun is masc. *or* fem.

e.g. a fhir bhig!
a bhuachaill chiúin!
a dhuine chóir!
a bhean mhór!
a chláirseach bhinn!

PL.

The adj. is *never* lenited in voc. pl.

e.g. a fheara beaga!
a dhaoine maithe!
a mhná ciúine!

15

LENITION OF ADJECTIVE AFTER NOUN

CASE	SINGULAR MASC.	FEM.	PLURAL
Nom./Acc.	-	L	
Gen.	L	-	Lenition when noun ends in
Dat.	-	L	slender consonant
Voc.	L	L	

CHRISTIAN NAMES

The Christian names of men are masc.
The Christian names of women are fem.

The voc. form of these names = nom. form except in case of those belonging to 1st decl. (= masc.)

LIST OF COMMON CHRISTIAN NAMES
MASCULINE

NOM.	ENGLISH	VOC.	GEN.
ANTAINE	ANTHONY	a Antaine	crann Antaine
BARRA	BARRY	a *Bh*arra	cat *Bh*arra
BRIAN	BRIAN	a *Bhriain*	leabhar *Bhriain*
CAOIMHÍN	KEVIN	a *Ch*aoimhín	mála *Ch*aoimhín
COLM	COLM	a *Ch*oilm	bean *Ch*oilm
CRÍOSTÓIR	CHRISTOPHER	a *Ch*ríostóir	máthair *Ch*ríost*ó*ra
DIARMAID	DERMOT	a *Dh*iarmaid	athair *Dh*iarm*ada*
DÉAGLÁN	DECLAN	a *Dh*éagl*á*in	bó *Dh*éagl*á*in
ÉAMANN	EAMON	a Éam*ainn*	obair Éam*ainn*
GEARÓID	GARRETT	a *Gh*earóid	mac *Gh*earóid
PÁDRAIG	PATRICK	a *Ph*ádraig	uncail *Ph*ádraig

NOM.	ENGLISH	VOC.	GEN.
SÉAMAS	JAMES	a Shéamais	máthair Shéamais
SEÁN	JOHN	a Sheáin	páirc Sheáin
TOMÁS	THOMAS	a Thomáis	leabhar Thomáis

Note:
Like nouns, Christian names belong to various declensions. As a result, with masc. names, only those in 1st and 3rd decl. are inflected.
e.g. 1st decl. – make final consonant slender *Niall, teach Néill*
3rd decl. – make final conson. broad and add *-a Críostóir, teach Chríostóra*

FEMININE

NOM.	ENGLISH	VOC.	GEN.
BLÁTHNAID	FLORENCE	a Bhláthnaid	hata Bhláthnaid
BRÍD	BRIDGE	a Bhríd	iníon Bhríde
CÁIT	KATE	a Cháit	obair Cháit
EIBHLÍN	EILEEN	a Eibhlín	páirc Eibhlín
EILÍS	ELIZABETH	a Eilís	peann Eilís
LAOISEACH	LUCY	a Laoiseach	bó Laoisí
MÁIRE	MARY	a Mháire	teach Mháire
RÓIS	ROSE	a Róis	fear Róise
SIOBHÁN	SUSAN	a Shiobhán	mac Shiobhán
SORCHA	SARAH	a Shorcha	cat Shorcha
ÚNA	UNITY	a Úna	máthair Úna

The voc. form of fem. Christian names = nom. form except that it is preceded by voc. particle *a* which lenites the initial consonant. Fem. Christian names belong to the 2nd or 4th decl. In the case of 2nd decl. nouns, the gen. ends in *-e* (e.g. Bríd, mac *Bhríde*) or final *-(e)ach > (a)í* (e.g. Laoiseach, teach Laoisí).
4th decl. names are not inflected.

Generally, the comparative and superlative forms of the adj. = gen. sing. fem. form of adj. preceded, respectively, by *níos* (*ní ba* + len. in past tense or cond., *ní b'* + len. before vowel or *f*) and *is* (*ba* + len. in past tense or cond., *ab* + len. before vowel or *f*).

e.g. *dubh*   gen. sg. fem. *duibhe*
    comp.   *níos duibhe/ ní ba dhuibhe* (past/cond.)
    super.   *is duibhe/ba dhuibhe*

    ard   gen. sg. fem. *airde*
    comp.   *níos airde/ ní b'airde* (past/cond.)
    super.   *is airde/ab airde*

    dathúil   gen. sg. fem. *dathúla*
    comp.   *níos dathúla/ní ba dhathúla* (past/cond.)
    super.   *is dathúla/ba dhathúla*

    cóir   gen. sg. fem. *córa*
    comp.   *níos córa/ní ba chóra* (past/cond.)
    super.   *is córa/ba chóra*

    cróga   gen. sg. fem. *cróga*
    comp.   *níos cróga/ní ba chróga* (past/cond.)
    super.   *is cróga/ba chróga*

    breá   gen. sg. fem. *breátha*
    comp.   *níos breátha/ní ba bhreátha* (past/cond.)
    super.   *is breátha/ba bhreátha*

COMPARISON OF ADJECTIVES — IRREGULAR FORMATIONS

		COMPARATIVE	SUPERLATIVE
beag	small	níos lú	is lú
fada	long	níos faide	is faide
furasta	easy	níos fusa	is fusa
gearr	short	níos giorra	is giorra
maith	good	níos fearr	is fearr
mór	big	níos mó	is mó
olc	bad	níos measa	is measa
te	hot	níos teo	is teo

SOME SIMPLE PREPOSITIONS

Form when employed with indefinite nouns:
Followed by lenition of initial consonant of noun except in very special cases:

*ar	on	e.g. ar *bh*ean, ar *bh*ád, ar oileán
de	of(f)	e.g. de *th*each, de *dh*oras
do	to	e.g. do *mh*ac, do *bh*ean
faoi	under	e.g. faoi *gh*eata, faoi *bh*ád
ó	from	e.g. ó *fh*ear, ó *th*each
roimh	before	e.g. roimh *bh*ád, roimh éan
*thar	over	e.g. thar *th*each, thar oíche
trí	through	e.g. trí *gh*eata, trí *ph*áirc

Note: the preps. preceded by an asterisk are those which, under special circumstances, do not lenite the initial consonant of the following noun.

RULE: no change of initial of noun:

ag	at	e.g. ag teach, ag doras, ag abhainn
as	out of	e.g. as teach, as oileán, as páirc
chuig	to	e.g. chuig teach, chuig abhainn, chuig bád

MORE SIMPLE PREPOSITIONS

Form when employed with indefinite nouns:

i 'in' e.g. i *dt*each, i *gc*istin, *in* abhainn

RULE: Eclipsis of initial consonant, becomes *in* before initial vowel of noun.

le 'with' e.g. le fear, le *h*iasc

RULE: Prefixes *h* to initial vowel of noun.

SIMPLE PREPOSITIONS + DEFINITE ARTICLE

WITH SING. NOUN

WITH PL. NOUN

WITH SING. NOUN		WITH PL. NOUN
ar + an	> ar an	> ar na
de + an	> *den*	> de na
do + an	> *don*	> do na
faoi + an	> *faoin*	> faoi na
ó + an	> *ón*	> ó na
roimh + an	> roimh an	> roimh na
thar + an	> thar an	> thar na
trí + an	> *tríd an*	> trí na
ag + an	> ag an	> ag na
as + an	> as an	> as na
chuig + an	> chuig an	> chuig na

SIMPLE PREPOSITIONS + DEFINITE ARTICLE

WITH SING. NOUN			WITH PL. NOUN
i + an	>	*sa* before consonant	> *sna*
	>	*san* before vowel or *f* followed by vowel	
le + an	>	*leis an*	> *leis na*

PREPOSITIONAL PRONOUNS

		SING.	PL
		AG	
I.		agam	againn
2.		agat	agaibh
3.	m.	aige	acu
	f.	aici	
		AR	
I.		orm	orainn
2.		ort	oraibh
3.	m.	air	orthu
	f.	uirthi	
		AS	
I.		asam	asainn
2.		asat	asaibh
3.	m.	as	astu
	f.	aisti	
		CHUIG	
I.		chugam	chugainn
2.		chugat	chugaibh
3.	m.	chuige	chucu
	f.	chuici	

1.		díom		dínn
2.		díot		díbh
3.	m.	de		díobh
	f.	di		

DO

1.		dom		dúinn
2.		duit		daoibh
3.	m.	dó		dóibh
	f.	di		

FAOI

1.		fúm		fúinn
2.		fút		fúibh
3.	m.	faoi		fúthu
	f.	fúithi		

I

1.		ionam		ionainn
2.		ionat		ionaibh
3.	m.	ann		iontu
	f.	inti		

LE

1.		liom		linn
2.		leat		libh
3.	m.	leis		leo
	f.	léi		

ó

1.		uaim		uainn
2.		uait		uaibh
3.	m.	uaidh		uathu
	f.	uaithi		

ROIMH

1.		romham		romhainn
2.		romhat		romhaibh
3.	m.	roimhe		rompu
	f.	roimpi		

1.		tharam	tharainn
2.		tharat	tharaibh
3.	m.	thairis	tharstu
	f.	thairsti	

POSSESSIVE ADJECTIVES

SING.

		Lenition of initial consonant
mo	my	mo *ch*at
do	your	do *gh*eata
a	his	a *mh*áthair

		Prefixes *h* to initial vowels
a	her	a *h*iníon

PL.

		Eclipsis of initial vowels and consonants
ár	our	ár *g*cait
bhur	your	bhur *n*-eaglaisí
a	their	a *b*pinn

PREPOSITIONS + POSS. ADJ.

All the simple preps. which end in a consonant (*ag, ar, as, roimh, thar*) undergo no change when followed by various poss. adjs.

e.g. ar mo chrann, ar do chrann, ar a chrann etc.

The following preps.: (most of those ending with a vowel) *ó, faoi, trí, i, le* – coalesce with 3 sg./pl. and 1 pl. poss. adjs. as follows:

3 sg./pl.		1 pl.
ó	> óna	> ónár
faoi	> faoina	> faoinár
trí	> trína	> trínár
i	> ina	> inár
le	> lena	> lenár

Note: the prep. i > in before *bhur* (2 pl. poss. adj.)

In the case of the two preps. *de, do*, the following happens:

	3 sg./pl.	1 pl.
de, do	> dá	> dár

VERBAL NOUNS WHICH REQUIRE CONSTRUCTION:

	(1)		(2)		(3)		(4)		(5)
VB.	'TO BE'	+	SUBJECT	+	*l*	(= PREP.)	+	POSS. ADJ.	+	VB. NOUN

LIST:

suí	– sitting
luí	– lying
seasamh	– standing
codladh	– sleeping, asleep
dúiseacht	– awake
cónaí	– living

(1)	(2)	(3)	(4)	(5)	
tá	mé	i	mo	shuí	I am sitting
tá	tú	i	do	shuí	You are sitting
tá	sé		ina	shuí	He is sitting
tá	sí		ina	suí	She is sitting
táimid			inár	suí	We are sitting
tá	sibh	in	bhur	suí	You are sitting
tá	siad		ina	suí	They are sitting

There are two types of verbs in Irish: regular and irregular verbs. A verb is termed regular if it retains the same root in all tenses. Generally speaking, there are twelve irregular verbs in Irish, including *is* and *tá*.
Verbs are listed in dictionaries under their 2 sg. impv. form.

REGULAR VERBS
There are two conjugations of regular verbs:
      1) First conjugation
      2) Second conjugation

1) *First Conjugation Verbs*
      a) Verbs with monosyllabic roots e.g. *bris, mol*;
      b) Verbs with polysyllabic roots ending in *-áil* and some other polysyllabic verbs e.g. *sábháil*.

Present Tense of 1 (a)
Two categories involved:
Those ending in broad consonant: m*ol*, *ól*.
Those ending in slender consonant: br*is*, cu*ir*.

Endings:

	BROAD	SLENDER
1 sg.	mol*aim*	cuir*im*
2 sg.	mol*ann* tú	cuir*eann* tú
3 sg.	mol*ann* sé/sí	cuir*eann* sé/sí
1 pl.	mol*aimid*	cuir*imid*
2 pl.	mol*ann* sibh	cuir*eann* sibh
3 pl.	mol*ann* siad	cuir*eann* siad
Passive:	mol*tar*	cuir*tear*

The personal endings are therefore: *-(a)im, -(a)imid, -(e)ann + tú, sé, sí, sibh, siad.*

The forms with *-(a)im, -(a)imid* – forms which incorporate the pronoun in their ending – are termed *synthetic* forms. The forms with *-(e)ann + tú/sé/sí/sibh/siad* are termed *analytic* – the pronoun is separated from the ending.

2) *Second Conjugation Verbs*
     a) Verbs with polysyllabic roots ending in *-(a)igh*.
     b) Verbs with polysyllabic roots ending in *-(a)il, -(a)in, -(a)ir, -(a)is* and syncopated in their inflected forms.
     c) Some other special verbs.

Present Tense of 2 (a)
Two categories involved:
The broad variety: ce*ann*aigh.
The slender variety: cru*inn*igh.

Endings:

	BROAD	SLENDER
1 sg.	ceann*aím*	cruinn*ím*
2 sg.	ceann*aíonn* tú	cruinn*íonn* tú
3 sg.	ceann*aíonn* sé/sí	cruinn*íonn* sé/sí
1 pl.	ceann*aímid*	cruinn*ímid*
2 pl.	ceann*aíonn* sibh	cruinn*íonn* sibh
3 pl.	ceann*aíonn* siad	cruinn*íonn* siad
Passive:	ceann*aítear*	cruinn*ítear*

The personal endings are therefore: *-(a)ím, -(a)ímid, -(a)íonn* tú/sé/sí/sibh/siad.

26

LIST OF COMMON VERBS – CATEGORY 1 (A)

BROAD		SLENDER	
bog	move	bain	cut/take (off)
ceap	catch/think	bris	break
díol	sell	buail	beat
dún	close	caill	lose
fág	leave	caith	throw/spend/wear
fan	wait	creid	believe
glan	clean	cuir	put
las	light	éist	listen
mol	praise	léim	jump
ól	drink	lig	let/allow
póg	kiss	rith	run
scríobh	write	teith	flee
stop	stop	tit	fall
tóg	lift	tuig	understand

LIST OF COMMON VERBS – CATEGORY 2 (A)

BROAD		SLENDER	
athraigh	alter	airigh	perceive/sense
breathnaigh	look	bailigh	gather
ceannaigh	buy	coinnigh	keep
cuardaigh	search	cruinnigh	gather
damhsaigh	dance	cuimhnigh	remember
fiafraigh	ask	deisigh	mend
maraigh	kill	éirigh	rise
marcaigh	ride	fuirsigh	harrow
mothaigh	feel	imigh	depart
rialaigh	rule	oibrigh	work
tosaigh	begin	smaoinigh	think

27

FIRST CONJUGATION – CATEGORY I (A)

	BROAD	SLENDER
I sg.	*mh*ol mé	*ch*uir mé
2 sg.	*mh*ol tú	*ch*uir tú
3 sg.	*mh*ol sé/sí	*ch*uir sé/sí
I pl.	*mh*ol*amar*	*ch*uir*eamar*
2 pl.	*mh*ol sibh	*ch*uir sibh
3 pl.	*mh*ol siad	*ch*uir siad
Pass.	mol*adh*	cuir*eadh*

Note:

The initial consonant of *all* forms of *all* regular verbs is *always* lenited in the past tense with the exception of the passive form. A verb whose initial is a vowel or *f* (e.g. *ól, fág*) will have *d'* prefixed to it in the past tense e.g. *d'*ól, *d'f*hág etc. (*unless* it is preceded by dependent parts. *níor, ar, gur, nár, cár, sular, murar* etc. or is in the pass. form e.g. óladh, fágadh). There is only one synthetic form in the past tense viz. I pl. *-(e)amar*.

SECOND CONJUGATION – CATEGORY 2 (A)

	BROAD	SLENDER
I sg.	*ch*eannaigh mé	*ch*ruinnigh mé
2 sg.	*ch*eannaigh tú	*ch*ruinnigh tú
3 sg.	*ch*eannaigh sé/sí	*ch*ruinnigh sé/sí
I pl.	*ch*eann*aíomar*	*ch*ruinn*íomar*
2 pl.	*ch*eannaigh sibh	*ch*ruinnigh sibh
3 pl.	*ch*eannaigh siad	*ch*ruinnigh siad

Pass.   ceann*aíodh*   cruinn*íodh*

There is only one synthetic form of the verb in the past tense viz. I pl. -
(a)íomar.

FIRST CONJUGATION – CATEGORY I (A)

	BROAD	SLENDER
I sg.	mol*faidh* mé	cuir*fidh* mé
2 sg.	mol*faidh* tú	cuir*fidh* tú
3 sg.	mol*faidh* sé/sí	cuir*fidh* sé/sí
I pl.	mol*faimid*	cuir*fimid*
2 pl.	mol*faidh* sibh	cuir*fidh* sibh
3 pl.	mol*faidh* siad	cuir*fidh* siad
Pass.	mol*far*	cuir*fear*

There is only one synthetic form of the verb in the fut. tense viz. I pl. -
f(a)imid.

SECOND CONJUGATION – CATEGORY 2 (A)

	BROAD	SLENDER
I sg.	ceann*óidh* mé	cruinn*eoidh* mé
2 sg.	ceann*óidh* tú	cruinn*eoidh* tú
3 sg.	ceann*óidh* sé/sí	cruinn*eoidh* sé/sí
I pl.	ceann*óimid*	cruinn*eoimid*
2 pl.	ceann*óidh* sibh	cruinn*eoidh* sibh
3 pl.	ceann*óidh* siad	cruinn*eoidh* siad

Pass.   ceann*ófar*   cruinn*eofar*

There is only one synthetic form of the verb in the fut. tense viz. 1 pl. -*óimid/-eoimid*.

THE CONDITIONAL MOOD

FIRST CONJUGATION – CATEGORY I (A)

	BROAD	SLENDER
1 sg.	*mholfainn*	*chuirfinn*
2 sg.	*mholfá*	*chuirfeá*
3 sg.	*mholfadh* sé	*chuirfeadh* sé
1 pl.	*mholfaimis*	*chuirfimis*
2 pl.	*mholfadh* sibh	*chuirfeadh* sibh
3 pl.	*mholfaidís*	*chuirfidís*
Pass.	*mholfaí*	*chuirfí*

There are four synthetic forms of the verb in the cond. mood, viz. 1 sg. -*f(a)inn*, 2 sg. -*f(e)á*, 1 pl. -*f(a)imis*, 3 pl -*f(a)idís*.

Note: a verb whose initial is a vowel or *f* (e.g. *ól, fág*) will have *d'* prefixed to it in the cond. mood e.g. *d'ólfainn, d'fhágfainn* etc. (*unless* it is preceded by dependent parts. *ní, an, go, nach, cá, dá, sula, mura* etc.).

THE CONDITIONAL MOOD

SECOND CONJUGATION – CATEGORY 2 (A)

	BROAD	SLENDER
1 sg.	*cheannóinn*	*chruinneoinn*
2 sg.	*cheannófá*	*chruinneofá*
3 sg.	*cheannódh* sé	*chruinneodh* sé

1 pl.	*cheann*ó*imis*	*ch*ruinn*eoimis*
2 pl.	*cheann*ó*dh* sibh	*ch*ruinn*eodh* sibh
3 pl.	*cheann*ó*idís*	*ch*ruinn*eoidís*
Pass.	*cheann*ó*faí*	*ch*ruinn*eofaí*

There are four synthetic forms of the verb in the cond. mood viz. 1 sg. -óinn/-eoinn, 2 sg. -ófá/-eofá, 1 pl. -óimis/-eoimis, 3 pl. -óidís/-eoidís.

THE IMPERFECT TENSE

FIRST CONJUGATION – CATEGORY 1 (A)

	BROAD	SLENDER
1 sg.	*mh*olainn	*ch*uirinn
2 sg.	*mh*oltá	*ch*uirteá
3 sg.	*mh*oladh sé	*ch*uireadh sé
1 pl.	*mh*olaimis	*ch*uirimis
2 pl.	*mh*oladh sibh	*ch*uireadh sibh
3 pl.	*mh*olaidís	*ch*uiridís
Pass.	*mh*oltaí	*ch*uirtí

There are four synthetic forms of the verb in the imperf. tense viz. 1 sg. – (a)inn, 2 sg. -t(e)á, 1 pl. -(a)imis, 3 pl. -(a)idís. (Notice the similarity between the endings of the cond. mood and the imperf. tense).
Note: a verb whose initial is a vowel or *f* (e.g. *ól, fág*) will have *d'* prefixed to it in the imperfect tense e.g. *d'ólainn, d'fhágainn* etc. (*unless* it is preceded by dependent parts. *ní, an, go, nach, cá, sula, mura* etc.)

THE IMPERFECT TENSE

SECOND CONJUGATION – CATEGORY 2 (A)

	BROAD	SLENDER
1 sg.	*cheann*aínn	*chruinn*ínn
2 sg.	*cheann*aíteá	*chruinn*íteá
3 sg.	*cheann*aíodh sé	*chruinn*íodh sé

1 pl.	*cheannaímis*	*chruinnímis*
2 pl.	*cheannaíodh* sibh	*chruinníodh* sibh
3 pl.	*cheannaídís*	*chruinnídís*
Pass.	*cheannaítí*	*chruinnítí*

There are four synthetic forms of the verb in the imperf. tense viz. 1 sg. -*(a)ínn*, 2 sg. -*(a)íteá*, 1 pl. -*(a)ímis*, 3 pl. -*(a)ídís*.

THE IRREGULAR VERB

There are ten irregular verbs in Irish if we exclude the two verbs 'to be' viz. *is* and *tá*.
A verb is termed irregular if it does not retain the same root in all tenses. Some of the irregular verbs in Irish are only marginally irregular. The ten irregular verbs are as follows (the 2 sg. impv. form is the one given here):

beir	carry/catch/be born
clois/cluin	hear
déan	do/make
abair	say
faigh	get
feic	see
ith	eat
tabhair	give
tar	come
téigh	go

THE PRESENT TENSE

With eight of these verbs (all except *abair* and, to a lesser extent, *téigh*), simply take the pres. stem and add the normal endings for regular verbs of category 1 (a). (Note: in case of *tar* and *tabhair*, the pres. stems are *tag-* and *tug-*).

1 sg.	beir*im*	déan*aim*	clois*im*/cluin*im*
2 sg.	beir*eann* tú	déan*ann* tú	clois*eann* tú/cluin*eann* tú
3 sg.	beir*eann* sé/sí	déan*ann* sé/sí	clois*eann* sé/cluin*eann* sé
1 pl.	beir*imid*	déan*aimid*	clois*imid*/cluin*imid*
2 pl.	beir*eann* sibh	déan*ann* sibh	clois*eann* sibh/cluin*eann* sibh
3 pl.	beir*eann* siad	déan*ann* siad	clois*eann* siad/cluin*eann* siad
Pass.	beir*tear*	déan*tar*	clois*tear*/cluin*tear*

1 sg.	feic*im*	ith*im*	tag*aim*	tug*aim*
2 sg.	feic*eann* tú	ith*eann* tú	tag*ann* tú	tug*ann* tú
3 sg.	feic*eann* sé	ith*eann* sé	tag*ann* sé	tug*ann* sé
1 pl.	feic*imid*	ith*imid*	tag*aimid*	tug*aimid*
2 pl.	feic*eann* sibh	ith*eann* sibh	tag*ann* sibh	tug*ann* sibh
3 pl.	feic*eann* siad	ith*eann* siad	tag*ann* siad	tug*ann* siad
Pass.	feic*tear*	i*tear*	tag*tar*	tug*tar*

1 sg.	faigh*im*	the formation	téim
2 sg.	faigh*eann* tú	here is slightly	téann tú
3 sg.	faigh*eann* sé/sí	different from	téann sé/sí
		previous eight	
1 pl.	faigh*imid*		téimid
2 pl.	faigh*eann* sibh		téann sibh
3 pl.	faigh*eann* siad		téann siad
Pass.	faigh*tear*		téitear

33

When preceded by neg. part. *ní* the initial consonant of these verbs is le-
nited – no change if initial letter is a vowel.

e.g. ní *bh*eirim, ní *dh*éanaim, ní *ch*loisim/*ch*luinim, ní *fh*eicim, ní
*th*agaim, ní *th*ugaim, ní *fh*aighim, ní *th*éim.
but: ní ithim.

When preceded by parts. *an/go/nach* the initial consonant *or* vowel is
eclipsed.

e.g. an *m*beirim, go *nd*éanaim, nach *g*cloisim, an *bh*feicim etc.
but: when *an* precedes a verb with an initial vowel, no eclipsis occurs
e.g. an ithim.

1 sg. deir*im*
2 sg. deir tú
3 sg. deir sé/sí
1 pl. deir*imid*
2 pl. deir sibh
3 pl. deir siad
Pass. deir*tear*

Note: When preceded by neg. part. *ní* the initial *d* is *not* lenited
e.g. ní deirim
When preceded by parts. *an/go/nach* the initial is always eclipsed
e.g. an *nd*eirim, go *nd*eirim, nach *nd*eirim.

THE IRREGULAR VERB
THE FUTURE TENSE

	1 sg.	déanfaidh mé	feicfidh mé	cloisfidh mé/cluinfidh mé
	2 sg.	déanfaidh tú	feicfidh tú	cloisfidh tú/cluinfidh tú
	3 sg.	déanfaidh sé	feicfidh sé	cloisfidh sé/cluinfidh sé
A	1 pl.	déanfaimid	feicfimid	cloisfimid/cluinfimid
	2 pl.	déanfaidh sibh	feicfidh sibh	cloisfidh sibh/cluinfidh sibh
	3 pl.	déanfaidh siad	feicfidh siad	cloisfidh siad/cluinfidh siad
	Pass.	déanfar	feicfear	cloisfear/cluinfear

	1 sg.	béarfaidh mé	déarfaidh mé	íosfaidh mé
	2 sg.	béarfaidh tú	déarfaidh tú	íosfaidh tú
	3 sg.	béarfaidh sé	déarfaidh sé	íosfaidh sé
B	1 pl.	béarfaimid	déarfaimid	íosfaimid
	2 pl.	béarfaidh sibh	déarfaidh sibh	íosfaidh sibh
	3 pl.	béarfaidh siad	déarfaidh siad	íosfaidh siad
	Pass.	béarfar	déarfar	íosfar

	1 sg.	tiocfaidh mé	tabharfaidh mé	rachaidh mé
	2 sg.	tiocfaidh tú	tabharfaidh tú	rachaidh tú
	3 sg.	tiocfaidh sé	tabharfaidh sé	rachaidh sé
C	1 pl.	tiocfaimid	tabharfaimid	rachaimid
	2 pl.	tiocfaidh sibh	tabharfaidh sibh	rachaidh sibh
	3 pl.	tiocfaidh siad	tabharfaidh siad	rachaidh siad
	Pass.	tiocfar	tabharfar	rachfar

		INDEP.		DEP.
	1 sg.	gheobhaidh mé		*bh*faighidh mé
	2 sg.	gheobhaidh tú		*bh*faighidh tú
	3 sg.	gheobhaidh sé		*bh*faighidh sé
D	1 pl.	gheobhaimid	after *ní, an, go, nach*	*bh*faighimid
	2 pl.	gheobhaidh sibh		*bh*faighidh sibh
	3 pl.	gheobhaidh siad		*bh*faighidh siad
	Pass.	gheofar		*bh*faighfear

Note:
The groups A, B and C have the same future endings (except *rachaidh* which has no *f*) as the regular verb, category 1 (a).
The verbs in group A have the same stem in the fut. as in the pres. tense whereas all the other groups have a different stem.
The verbs in groups A, B and C, when preceded by the neg. part. *ní*, have their initial consonant lenited with the exception of *déarfaidh*

(e.g. *ní déarfaidh*). When preceded by the parts. *an, go* and *nach*, eclipsis takes place except in the case of *an* with *íosfaidh* (e.g. *an íosfaidh tú?*).
Note:

déanfaidh < déan, feicfidh < feic, cloisfidh/cluinfidh < clois/cluin, béarfaidh < beir, déarfaidh < abair, íosfaidh < ith, tiocfaidh < tar, tabharfaidh < tabhair, rachaidh < téigh, gheobhaidh < faigh.

THE IRREGULAR VERB
THE PAST TENSE

	1 sg.	thug mé	d'ith mé
	2 sg.	thug tú	d'ith tú
	3 sg.	thug sé	d'ith sé
A	1 pl.	thugamar	d'itheamar
	2 pl.	thug sibh	d'ith sibh
	3 pl.	thug siad	d'ith siad
	Pass.	tugadh	itheadh

The past tense of these two verbs is formed exactly as in the case of the reg. verb, category 1 (a). The preverbal parts. are the same as with the regular verb also viz. *níor, ar, gur, nár* e.g. níor thug mé, níor ith mé, ar thug tú, ar ith tú etc.

	1 sg.	rug mé	chuala mé	tháinig mé
	2 sg.	rug tú	chuala tú	tháinig tú
	3 sg.	rug sé	chuala sé	tháinig sé
B	1 pl.	rugamar	chualamar	thángamar
	2 pl.	rug sibh	chuala sibh	tháinig sibh
	3 pl.	rug siad	chuala siad	tháinig siad
	Pass.	rugadh	chualathas	thángthas

The verbs in Groups B, C and D do not have the same stem in the past tense as in the present tense.

The preverbal parts. used with Group B are *níor, ar, gur, nár* e.g. níor rug sé, níor chuala sé, níor tháinig sé, ar rug sé etc.

1 sg.	dúirt mé	fuair mé
2 sg.	dúirt tú	fuair tú
3 sg.	dúirt sé	fuair sé
C 1 pl.	dúramar	fuaireamar
2 pl.	dúirt sibh	fuair sibh
3 pl.	dúirt siad	fuair siad
Pass.	dúradh	fuarthas

The preverbal parts. used with this group are *ní, an, go, nach*. The parts. *an, go, nach* eclipse as usual. However, *ní* does not lenite any of the *dúirt* forms and eclipses the *fuair* forms.

e.g. ní dúirt sé, ní *bh*fuair sé.

INDEP.

1 sg.	chuaigh mé	
2 sg.	chuaigh tú	
3 sg.	chuaigh sé	
1 pl.	chuamar	
2 pl.	chuaigh sibh	
3 pl.	chuaigh siad	
Pass.	chuathas	

DEP.

– deachaigh mé
– deachaigh tú
– deachaigh sé
– deachamar
– deachaigh sibh
– deachaigh siad
– deachthas

1 sg.	rinne mé	
2 sg.	rinne tú	
3 sg.	rinne sé	
D 1 pl.	rinneamar	
2 pl.	rinne sibh	
3 pl.	rinne siad	
Pass.	rinneadh	

Forms used after parts. *Ní* (+ lenition) and *An, Go, Nach* (+ eclipsis)

– dearna mé
– dearna tú
– dearna sé
– dearnamar
– dearna sibh
– dearna siad
– dearnadh

1 sg.	chonaic mé	-faca mé
2 sg.	chonaic tú	-faca tú
3 sg.	chonaic sé	-faca sé
1 pl.	chonaiceamar	-facamar
2 pl.	chonaic sibh	-faca sibh
3 pl.	chonaic siad	-faca siad
Pass.	chonacthas	-facthas

These verbs have different indep. and dep. forms for the past tense.
e.g. chuaigh mé, ní dheachaigh mé, an ndeachaigh mé etc.
rinne mé, ní dhearna mé, an ndearna mé etc.
chonaic mé, ní fhaca mé, an bhfaca mé etc.

Note:
thug < tabhair, d'ith < ith, rug < beir, chuala < clois/cluin, tháinig < tar, dúirt < abair, fuair < faigh, chuaigh < téigh, rinne < déan, chonaic < feic.

THE IRREGULAR VERB
THE CONDITIONAL MOOD

1 sg.	chloisfinn/chluinfinn	dhéanfainn	d'fheicfinn
2 sg.	chloisfeá/chluinfeá	dhéanfá	d'fheicfeá
3 sg.	chloisfeadh sé/ chluinfeadh sé	dhéanfadh sé	d'fheicfeadh sé
1 pl.	chloisfimis/chluinfimis	dhéanfaimis	d'fheicfimis
2 pl.	chloisfeadh sibh/ chluinfeadh sibh	dhéanfadh sibh	d'fheicfeadh sibh
3 pl.	chloisfidís/chluinfidís	dhéanfaidís	d'fheicfidís
Pass.	chloisfí/chluinfí	dhéanfaí	d'fheicfí

It should be remembered that the cond. mood is based on the fut. tense. The cond. mood of these three verbs is formed exactly as in the case of the reg. verb, category 1 (a). The preverbal particles are the same as with the regular verb e.g. ní chloisfinn, an gcloisfinn, ní dhéanfainn, an ndéanfainn, ní fheicfinn, an bhfeicfinn etc.

1 sg.	bhéarfainn	thiocfainn	thabharfainn
2 sg.	bhéarfá	thiocfá	thabharfá
3 sg.	bhéarfadh sé	thiocfadh sé	thabharfadh sé
1 pl.	bhéarfaimis	thiocfaimis	thabharfaimis
2 pl.	bhéarfadh sibh	thiocfadh sibh	thabharfadh sibh
3 pl.	bhéarfaidís	thiocfaidís	thabharfaidís
Pass.	bhéarfaí	thiocfaí	thabharfaí

1 sg.	déarfainn	d'íosfainn	rachainn
2 sg.	déarfá	d'íosfá	rachfá
3 sg.	déarfadh sé	d'íosfadh sé	rachadh sé
1 pl.	déarfaimis	d'íosfaimis	rachaimis
2 pl.	déarfadh sibh	d'íosfadh sibh	rachadh sibh
3 pl.	déarfaidís	d'íosfaidís	rachaidís
Pass.	déarfaí	d'íosfaí	rachfaí

These verbs, with the exception of *rachainn* etc., have the same cond. endings as the regular verb, category 1 (a).
The preverbal particles are the same as with the regular verb viz. *ní, an, go, nach* e.g. ní bhéarfainn, an mbéarfainn, go mbéarfainn, nach mbéarfainn, ní thiocfainn, an dtiocfainn etc.
The neg. part. *ní* does not lenite the initial consonant of déarfainn, déarfá etc. e.g. ní déarfainn, ní déarfá etc.
The interr. part. *an* does not eclipse – íosfainn, – íosfá etc. e.g. an íosfainn, an íosfá etc.

	INDEP.		DEP.
1 sg.	gheobhainn		*bhf*aighinn
2 sg.	gheofá		*bhf*aighfeá
3 sg.	gheobhadh sé		*bhf*aigheadh sé
1 pl.	gheobhaimis	After *ní, an, go, nach*	*bhf*aighimis
2 pl.	gheobhadh sibh		*bhf*aigheadh sibh
3 pl.	gheobhaidís		*bhf*aighidís
Pass.	gheofaí		*bhf*aighfí

1 sg.	bheirinn	dhéanainn	chloisinn/chluininn
2 sg.	bheirteá	dhéantá	chloisteá/chluinteá
3 sg.	bheireadh sé	dhéanadh sé	chloiseadh sé/chluineadh sé
1 pl.	bheirimis	dhéanaimis	chloisimis/chluinimis
2 pl.	bheireadh sibh	dhéanadh sibh	chloiseadh sibh/chluineadh sibh
3 pl.	bheiridís	dhéanaidís	chloisidís/chluinidís
Pass.	bheirtí	dhéantaí	chloistí/chluintí

1 sg.	d'fheicinn	d'ithinn	thagainn
2 sg.	d'fheicteá	d'iteá	thagtá
3 sg.	d'fheiceadh sé	d'itheadh sé	thagadh sé
1 pl.	d'fheicimis	d'ithimis	thagaimis
2 pl.	d'fheiceadh sibh	d'itheadh sibh	thagadh sibh
3 pl.	d'fheicidís	d'ithidís	thagaidís
Pass.	d'fheictí	d'ití	thagtaí

1 sg.	thugainn	d'fhaighinn	théinn
2 sg.	thugtá	d'fhaighteá	théiteá
3 sg.	thugadh sé	d'fhaigheadh sé	théadh sé
1 pl.	thugaimis	d'fhaighimis	théimis
2 pl.	thugadh sibh	d'fhaigheadh sibh	théadh sibh
3 pl.	thugaidís	d'fhaighidís	théidís
Pass.	thugtaí	d'fhaightí	théití

1 sg.	deirinn
2 sg.	deirteá
3 sg.	deireadh sé
1 pl.	deirimis
2 pl.	deireadh sibh
3 pl.	deiridís
Pass.	deirtí

The imperfect tense is based on the present stem.

All of these verbs, with the possible exception of *téigh*, have the regular category I (a) verbal endings in this tense.

When preceded by the verbal particles *ní, an, go, nach* etc., the rules are the same as for the regular verb:

e.g. ní *bh*eirinn, ní *dh*éanainn, an *g*cloisinn, an *bh*feicinn, go *n*-ithinn, go *d*tagainn, nach *d*tugainn, nach *bh*faighinn etc.

Note: the neg. part. *ní* does not lenite the initial consonant of *deir-* in any tense e.g. ní deirinn.

THE COPULA

In simple terms, the verb *is* (= copula) is used when we wish to say that one noun or pronoun is, or is not, another noun or pronoun.

e.g. *I* am a *boy* = Is gasúr mé

The *boy* is a *fool* = Is amadán é an gasúr

The copula only has three tenses in form:

>   PRES./FUT.
>   PAST/COND.
>   PR. SUBJ.

Positive	Negative	Positive-Interrogative	Negative-Interrogative
Is bean í	*Ní* bean í	*An* bean í?	*Nach* bean í?
She is a woman	She isn't a woman	Is she a woman?	Isn't she a woman?
Is fear é	*Ní* fear é	*An* fear é?	*Nach* fear é?
He is a man	He isn't a man	Is he a man?	Isn't he a man?
Is múinteoirí iad	*Ní* múinteoirí iad	*An* múinteoirí iad?	*Nach* múinteoirí iad?
They are teachers	They aren't teachers	Are they teachers?	Aren't they teachers?

Note that there is always agreement between number and gender of noun and pronoun.

PAST TENSE/CONDITIONAL MOOD

positive	negative	positive-interrogative	negative-interrogative
Ba bhean í	*Níor* bhean í	*Ar* bhean í?	*Nár* bhean í?
B' fhear é	*Níorbh* fhear é	*Arbh* fhear é?	*Nárbh* fhear é?
Ba mhúinteoirí iad	*Níor* mhúinteoirí iad	*Ar* mhúinteoirí iad?	*Nár* mhúinteoirí iad?

Note: Past and cond. forms of the copula lenite.
ba > b', níor > níorbh, ar > arbh, nár > nárbh when followed by a vowel or *fh*- followed by a vowel.

42

THE VERB TÁ
THE PRESENT TENSE

	POSITIVE	NEGATIVE	AFTER PARTICLES AN, GO, NACH
1 sg.	táim/tá mé	nílim/níl mé	*bhf*uilim/*bhf*uil mé
2 sg.	tá tú	níl tú	*bhf*uil tú
3 sg.	tá sé/sí	níl sé/sí	*bhf*uil sé/sí
1 pl.	táimid	nílimid	*bhf*uilimid
2 pl.	tá sibh	níl sibh	*bhf*uil sibh
3 pl.	tá siad	níl siad	*bhf*uil siad
Pass.	táthar	níltear	*bhf*uiltear

Note: the negative particle *ní* is incorporated into the negative forms.

THE HABITUAL PRESENT TENSE

		After neg. part. *ní*	After particles *an, go, nach*
1 sg.	bím	*bh*ím	*mb*ím
2 sg.	bíonn tú	*bh*íonn tú	*mb*íonn tú
3 sg.	bíonn sé	*bh*íonn sé	*mb*íonn sé
1 pl.	bímid	*bh*ímid	*mb*ímid
2 pl.	bíonn sibh	*bh*íonn sibh	*mb*íonn sibh
3 pl.	bíonn siad	*bh*íonn siad	*mb*íonn siad
Pass.	bítear	*bh*ítear	*mb*ítear

		After neg. part. *ní*	After particles *an, go, nach*
I sg.	beidh mé	*bh*eidh mé	*m*beidh mé
2 sg.	beidh tú	*bh*eidh tú	*m*beidh tú
3 sg.	beidh sé/sí	*bh*eidh sé/sí	*m*beidh sé/sí
I pl.	beimid	*bh*eimid	*m*beimid
2 pl.	beidh sibh	*bh*eidh sibh	*m*beidh sibh
3 pl.	beidh siad	*bh*eidh siad	*m*beidh siad
Pass.	beifear	*bh*eifear	*m*beifear

THE PAST TENSE

		After particles *ní, an, go, nach*	
I sg.	bhí mé		raibh mé
2 sg.	bhí tú		raibh tú
3 sg.	bhí sé/sí		raibh sé/sí
I pl.	bhíomar		rabhamar
2 pl.	bhí sibh		raibh sibh
3 pl.	bhí siad		raibh siad
Pass.	bhíothas		rabhthas

THE CONDITIONAL MOOD

		After neg. part. *ní*	After particles *an, go, nach*
I sg.	*bh*einn	*bh*einn	*m*beinn
2 sg.	*bh*eifeá	*bh*eifeá	*m*beifeá
3 sg.	*bh*eadh sé	*bh*eadh sé	*m*beadh sé
I pl.	*bh*eimis	*bh*eimis	*m*beimis
2 pl.	*bh*eadh sibh	*bh*eadh sibh	*m*beadh sibh
3 pl.	*bh*eidís	*bh*eidís	*m*beidís
Pass.	*bh*eifí	*bh*eifí	*m*beifí

44

		After neg. part. *ní*	After particles *an*, *go*, *nach*
1 sg.	*bh*ínn	*bh*ínn	*mb*ínn
2 sg.	*bh*íteá	*bh*íteá	*mb*íteá
3 sg.	*bh*íodh sé	*bh*íodh sé	*mb*íodh sé
1 pl.	*bh*ímis	*bh*ímis	*mb*ímis
2 pl.	*bh*íodh sibh	*bh*íodh sibh	*mb*íodh sibh
3 pl.	*bh*ídís	*bh*ídís	*mb*ídís
Pass.	*bh*ítí	*bh*ítí	*mb*ítí

VERBAL NOUN

Normal usage: preceded by AG which leaves initial of vb. noun form unaltered.

e.g.	ag léamh	reading
	ag rith	running
	ag ithe	eating
	ag déanamh	doing/making
	ag teacht	coming
	ag dul	going
	ag scríobh	writing

Example of Use

Verb Tá	+ Subj.	+ Ag	+ Vb. Noun	+ (Obj.) etc.
Tá	an gasúr	ag	léamh	leabhair.
Níl	sé	ag	teacht	amach.
An bhfuil	siad	ag	dul	abhaile?
Tá	an bhean	ag	scríobh	na litreach.
Níl	tú	ag	ól	an bhainne.

Note that when a noun is the direct object of a verbal noun, it is generally in the gen. case.

REGULAR VERBS

bog	move	ag bogadh	moving
buail	beat	ag bualadh	beating
ceannaigh	buy	ag ceannach	buying
ceap	catch	ag ceapadh	catching
coinnigh	keep	ag coinneáil	keeping
cuir	put	ag cur	putting
dún	close	ag dúnadh	closing
éirigh	rise	ag éirí	rising
éist	listen	ag éisteacht	listening
fág	leave	ag fágáil	leaving
glan	clean	ag glanadh	cleaning
las	light	ag lasadh	lighting
léim	jump	ag léim	jumping
maraigh	kill	ag marú	killing
mol	praise	ag moladh	praising
rith	run	ag rith	running
ól	drink	ag ól	drinking
póg	kiss	ag pógadh	kissing
scríobh	write	ag scríobh	writing
smaoinigh	think	ag smaoineamh	thinking
stop	stop	ag stopadh	stopping
teith	flee	ag teitheadh	fleeing
tóg	lift	ag tógáil	lifting

IRREGULAR VERBS

beir	carry/catch etc.	ag breith
clois/cluin	hear	ag cloisteáil/cluinstin
déan	do/make	ag déanamh
abair	say	ag rá
faigh	get	ag fáil

feic	see	ag feiceáil
ith	eat	ag ithe
tabhair	give	ag tabhairt
tar	come	ag teacht
téigh	go	ag dul

THE IMPERATIVE MOOD – 2ND SINGULAR

This is the form under which verbs are usually listed in dictionaries.

POSITIVE

mol an fear!	– praise the man!
buail an t-asal!	– beat the donkey!
las an tine!	– light the fire!
ceannaigh an siopa!	– buy the shop!
coinnigh an leabhar!	– keep the book!

NEGATIVE

Put *ná* before the positive form of the verb.
Note: *ná* prefixes *h* to initial vowels.

ná mol an fear!	– don't praise the man!
ná buail an t-asal!	– don't beat the donkey!
ná *h*ól an t-uisce!	– don't drink the water!
ná *h*ith an t-arán!	– don't eat the bread!

THE IMPERATIVE MOOD – 2ND PLURAL

FIRST CONJUGATION – CATEGORY I (A)

BROAD	SLENDER
mol*aigí*	cuir*igí*
ceap*aigí*	buail*igí*
glan*aigí*	rith*igí*

Simply add -*(a)igí* to 2 sg. impv. form.

BROAD	SLENDER
ceann*aígí*	cruinn*ígí*
breathn*aígí*	bail*ígí*
mar*aígí*	oibr*ígí*

Remove -*(a)igh* from 2 sg. impv. form and affix - *(a)ígí*

IRREGULAR VERBS

2 sg.　　　　　　　　*2 pl.*

beir	beirigí	catch etc.
clois/cluin	cloisigí/cluinigí	hear
déan	déanaigí	do/make
abair	abraigí	say
faigh	faighigí	get
feic	feicigí	see
ith	ithigí	eat
tabhair	tugaigí	give
tar	tagaigí	come
téigh	téigí	go
bí	bígí	be

VERBAL ADJECTIVE/PAST PARTICIPLE
REGULAR VERBS

Category 1 (a)

Add -*ta*/-*te* to those verbs which end in -*l*, -*n*, -*s*, -*ch*, -*d*

e.g.　BROAD　　　　　　　　　　　　SLENDER

ól	> ól*ta*	drunk	buail	> buail*te*	beaten
dún	> dún*ta*	closed	sín	> sín*te*	stretched
las	> las*ta*	lit	bris	> bris*te*	broken
croch	> croch*ta*	hung	goid	> goid*te*	stolen
stad	> stad*ta*	stopped			

48

If the verb ends in slender -*th*, the -*th* is dropped and -*te* added

e.g. ith   > i*te*   eaten
      rith   > ri*te*   run
      caith > cai*te*   spent

Add -*tha*/ -*the* to those verbs which end in -*b*, -*c*, -*g*, -*m*, -*p*, -*r*

e.g. BROAD   SLENDER

      bog   > bog*tha*   moved   léim   > léim*the* jumped
      ceap   > ceap*tha*   caught   beir   > beir*the* caught
      fág   > fág*tha*   left   lig   > lig*the* let
      stop   > stop*tha*   stopped

Category 2 (a)
Remove the final -*gh* and add -*the*
e.g.
      athraigh   >   athrai*the*   changed
      ceannaigh >   ceannai*the* bought
      coinnigh   >   coinni*the*   kept
      imigh   >   imi*the*   gone

                                  IRREGULAR VERBS
      beir   >   beir*the*   caught etc.
      clois   >   clois*te*   heard
      cluin   >   cluin*te*   heard
      déan   >   déan*ta*   done, made
      abair   >   rái*te*   said
      faigh   >   faigh*te*   got
      feic   >   feic*the*   seen
      ith   >   i*te*   eaten
      tar   >   tag*tha*   come
      téigh   >   dul*ta*   gone
      tabhair >   tug*tha*   given

49

Relative clauses are almost always introduced by a relative particle and fall into two categories viz. *direct* relative or *indirect* relative.

DIRECT RELATIVE

This occurs where the antecedent is the subject or direct object of the verb in a relative clause, or where the antecedent introduces a time clause.

e.g.   the man who eats bread
          the grass which is cut every year
          the day he comes

(Usually a direct rel. clause is introduced by simply *that, who* or *which*). The direct rel. particle (positive) is always *a*.

Rules governing *a*:

It always lenites the initial consonant of all verbs

except

tá (pres. tense);

deir (all tenses);

fuair (past tense);

the past pass. form of *all* verbs except the irregular: *bhíothas, chonacthas, chualathas, chuathas, thángthas;*

verbs preceded by *d'* in past tense, imperfect tense and conditional mood.

The direct rel. particle (negative) is:

nach with: all tenses of the reg. verb except the past tense;
          all tenses of the irreg. verb except the past tense of *beir, clois/cluin, ith, tabhair, tar.*

nár with: the past tense of the reg. verb and of the irreg. verbs *beir, clois/cluin, ith, tabhair, tar.*

Example of usage:
an leabhar *a ch*eannaigh an fear
the book *which* the man bought
an bainne *a* óltar
the milk *which* is drunk
an fhuinneog *a bh*riseann an gasúr
the window *which* the boy breaks
an cailín *a d*'ith an t-arán
the girl *who* ate the bread
an fear *a th*iocfaidh anseo amárach
the man *who* will come here tomorrow
an leabhar *a* cailleadh inné
the book *which* was lost yesterday.

INDIRECT RELATIVE

An indirect rel. clause most frequently occurs in those sentences where the rel. clause enjoys a dat. or gen. relationship with the previous clause.

e.g.   the table *on which* the book is lying (dat.)
the boy *with whom* I am playing (dat.)
the girl *to whom* I give the sweet (dat.)
the man *whose* son is sick (gen.)
the lady *whose* daughter is a singer (gen.)
the dress *of which* the hem is dirty (gen.)

The indirect rel. particle (positive) is *a* or *ar*.
Rules governing *a*:
It always eclipses and requires the dep. form of the verb; it is used with the pres., fut., cond., imperf. tenses of *all* verbs and with the past tense of the irreg. verbs: *déan, deir, faigh, feic, téigh, tá*.

Rules governing *ar*:
It is used with *all* verbs in the past tense except the irreg. *dúirt, fuair, chuaigh, rinne, chonaic, bhí*;
it lenites the initial cons. of verbs and removes *d'* from those verbs with an initial vowel or *f*.

Note: the dep. pass. past form of the verb is *never* lenited after *ar* except in case of *chualathas, thángthas*.

The indirect rel. particle (negative) is:
nach or *nár* with the same rules as in a direct rel. clause.

Example of usage:
an fear *a d*tugaim an t-arán *dó*
the man *to whom* I give the bread
an chistin *a bhf*uil an bhean *inti*
the kitchen *in which* the woman is
na páirceanna *a d*tagann na ba *astu*
the fields *out of which* the cows come

Note: the prep. pronoun at the end of the sentence must agree in *number* and *gender* with the noun to which it refers.

e.g.   *dó* is 3 sg. masc. to agree with *fear*
inti is 3 sg. fem. to agree with *cistin*
astu is 3 pl. to agree with *páirceanna*.

an fear *a bhf*uil *a mh*ac tinn
the man *whose* son is sick
an bhean *a bhf*uil *a hi*níon tinn
the woman *whose* daughter is sick
na feirmeoirí *a bhf*uil *a mb*a tinn
the farmers *whose* cows are sick

Note: the poss. adj. in the rel. clause must agree in *number* and *gender* with the noun to which it refers in the first clause.

52

All tenses *except* past tense

Particles Which Cause Lenition:

ní			
má	if		not used with fut. and cond.
a (dir. rel.)		Lenition	
also the following which require *a*			
cad/céard	what?		
cé	who?		
cathain/ cén uair	when?		
conas	how?		
nuair	when		

Exceptions to lenition rule: *tá* (pres. tense)
deir (all tenses)
d' before certain verbs in cond.
mood and imperfect tense.

Note: *ní* removes *d*' before certain verbs in cond. mood and
imperfect tense.
The use of *ní* with the irreg. verb is discussed under that
section.

All tenses *except* past tense

Particles Which Cause Eclipsis:

an		does not put *n-* before vowels
go nach cá where? mura unless sula before a (indir. rel.)	Eclipses Consonants + Vowels	
dá if		only used in cond. mood

Note: these parts. all require the dep. form of the verb.

PREVERBAL PARTICLES + PAST TENSE OF VERB

má a (dir. rel.) also the following which require *a* cad/céard cé cathain/cén uair conas nuair	Lenition	Except: *dúirt, fuair*; past pass. of all verbs except: *bhíothas, chonacthas, chualathas, chuathas, thángthas; d'* remains unaltered before vowels and *f*.

These forms of the following preverbal particles (most of which cause eclipsis in other tenses) are used with *all* verbs in the past tense except in the case of the irreg. forms: *dúirt, fuair, chuaigh, chonaic, rinne, bhí.*

níor ar gur nár cár murar sular ar (indir. rel.)	Lenition	*d´* is removed before vowels and *f.* *chualathas* and *thángthas* are only pass. past forms to retain lenition after this group of particles.

USE OF MÁ AND DÁ (IF)

má

Employed only with pres., imperf. and past tenses. To express fut. tense: má + pres. form of verb. It lenites initial consonant of verb:
Exceptions: *tá*, all tenses of *deir, fuair* and past passive form of regular verb.

dá

Employed only in conditional mood.
Followed by eclipsis + dep. form of verb.

D' PREFIXED TO VERBS

The *only* verbs involved are those whose initial is a *vowel* or *f* e.g. *ól, fág.*
The *only* tenses involved are: past, imperfect and conditional.

e.g.　　　*d'ól, d'fhág* (Past)
　　　　　d'óladh, d'fhágadh (Imperf.)
　　　　　d'ólfadh, d'fhágfadh (Cond.)

This *d'* is retained after direct rel. particle *a* in above tenses
e.g.   an fear a d'ól/d'óladh/d'ólfadh an bainne
            an fear a d'fhág/d'fhágadh/d'fhágfadh an teach

Exception: *d'* is *never* prefixed to pass. past of regular verb:
e.g.   óladh an bainne   the milk was drunk
            fágadh ansin é   it was left there

d' is not prefixed to such verbs in the above tenses when the verbs are pre-
ceded by the following verbal particles:

	Ní		ól(f)adh, *fh*ág(f)adh
	an		ól(f)adh, *bhf*ág(f)adh
Imperf. + Cond.	go nach sula cá mura a	before where? unless (indir. rel. part.)	*n*-ól(f)adh, *bhf*ág(f)adh
Cond.	dá		*n*-ólfadh, *bhf*ágfadh
Past	níor ar gur nár sular cár murar ar	(indir. rel. part.)	ól, *fh*ág

The initial consonant of passive form, past tense of *regular* verb is *never* lenited no matter what precedes it:

e.g.   cuireadh
          níor cuireadh
          ar cuireadh
          nár cuireadh
          má cuireadh
          cár cuireadh

Exceptions: there is lenition in the following irregular verbs:
bhíothas, chonacthas, chualathas, chuathas, thángthas

Note: in past pass. form, verbs whose initial is a vowel or *f-* do not have *d'* prefixed:
e.g. óladh, fágadh, itheadh

COMMON ADVERBS

freisin	also	*anocht*	tonight
anseo	here	*anuraidh*	last year
ansin	there	*anois*	now
inniu	today	*aréir*	last night
inné	yesterday	*arís*	again
amárach	tomorrow	*riamh*	(n)ever (ref. to past tense)

All of these adverbs are indeclinable and undergo no changes whatever.

ach	but
agus	and
nó	or
ná	nor

ADVERBS OF DIRECTION

amach	out(wards)	– motion
amuigh	out(side)	– rest
isteach	in(wards)	– motion
istigh	in(side)	– rest

Usage:

Téann sé amach.	He goes out.
Tá sé amuigh.	He is outside.
Tagann sé isteach.	He comes in.
Tá sé istigh.	He is inside.

PRONOUNS

mé	I/me
tú	you
sé[1]	he
sí[2]	she
muid/sinn	us/we
sibh	you (pl.)
siad[3]	they

Notes:

1 subj. of verb, use *é* as obj. of verb
2 subj. of verb, use *í* as obj. of verb
3 subj. of verb, use *iad* as obj. of verb.

CARDINAL NUMBERS

These are used for ordinary, simple counting e.g. four, one and one, five plus four, six minus three, five past four etc.

Nos. 1–20

1	a *h*aon		11	a *h*aon déag
2	a dó		12	a dó *dh*éag
3	a trí		13	a trí déag
4	a ceathair		14	a ceathair déag
5	a cúig		15	a cúig déag
6	a sé		16	a sé déag
7	a seacht		17	a seacht déag
8	a *h*ocht		18	a *h*ocht déag
9	a naoi		19	a naoi déag
10	a deich		20	fiche

2	dhá	*ch*apall orlach	Sg. form of noun is always *N.B.* used with *dhá*	
3	trí	*ch*apall orlach		capai*ll*
4	ceithre		*OR*	horla*í*
5	cúig			
6	sé			
7	seacht	*g*capall *n*-orlach		*g*capai*ll*
8	ocht		*OR*	*n*-orla*í*
9	naoi			
10	deich			

Note: one may use sg. or pl. form of noun with nos. 3–10, applying proper rules. There are six nouns of which special pl. form must always be used: *ceann > cinn, cloigeann > cloigne, bliain > bliana, uair > uaire, fiche > fichid, pingin > pingine.*

SOME COMMON COMPOUND PREPOSITIONS

ar aghaidh	in front of, opposite
os cionn	above
in aice	beside
tar éis	after
i rith	during
i gcoinne	against
ar fud	throughout
ar feadh	during
i ndiaidh	after
i lár	in the middle of

These compound preps. take the gen. case of nouns which follow them:

e.g.   ar aghaidh an tí   opposite the house
        i rith an lae   during the day
        os cionn an dorais   above the door
        ar feadh na hoíche   during the night
        i lár na seachtaine   in the middle of the week

SOME NOUNS WHICH REQUIRE PREP. PRONOUNS

Tá fearg orm, ort, air etc.   I am angry etc.
Tá brón orm   I am sorry
Tá imní orm   I am worried
Tá náire orm   I am ashamed
Tá bród orm   I am proud
Tá tinneas orm   I am sick
Tá ocras orm   I am hungry
Tá tart orm   I am thirsty
Tá eagla orm   I am afraid
Tá deifir orm   I am in a hurry
Tá áthas orm   I am delighted
Tá iontas orm   I am surprised

INTENSIVE PREFIXES AN- AND RÓ

An-, meaning 'very', is prefixed to nouns or adjectives.
Ró, meaning 'over, too' is prefixed to adjectives.

There is always a hyphen between *an-* and following word.
There is no hyphen after *ró* except when following word begins with vowel.

An-, lenites except in case of *d*, *t* and *s*.
Ró, always lenites.

61

e.g.   *An-*
           an-*bh*ean   a great woman
           an-*gh*aofar   very windy
           an-*fh*ear   a great man
           an-*bh*eag   very small
but   an-tine   a great fire
           an-dána   very bold
           an-saolta   very worldly

e.g.   *Ró*
           ró*mh*ór   too big
           ró*bh*eag   too small
           ró*dh*ána   too bold
           ró-óg   too young

The days of the week are treated as nouns and are preceded by the article
when simply being listed:

an Luan masc.   Monday
an Mháirt fem.   Tuesday
an Chéadaoin fem.   Wednesday
an Déardaoin masc.   Thursday
an Aoine fem.   Friday
an Satharn masc.   Saturday
an Domhnach masc.   Sunday

Usage

Inniu an Luan	Today is Monday
Bhí an Aoine an-fhliuch	Friday was very wet
Is é an Domhnach an lá is fearr	Sunday is the best day
Seachtain ón Satharn seo	This Saturday week
Is fearr liom an Chéadaoin ná an Déardaoin	I prefer Wednesday to Thursday
Ar an Máirt	On the Tuesday, on Tuesdays
Amárach an Déardaoin	Tomorrow is Thursday
Tiocfaidh siad ar an gCéadaoin sin	They will come that Wednesday
Chuaigh sé amach oíche Shathairn amháin	He went out one Saturday night
Caitheann sé an Déardaoin anseo	He spends Thursdays here.

DAYS OF THE WEEK

Dé Luain	on Monday
Dé Máirt	on Tuesday
Dé Céadaoin	on Wednesday
*Déar*daoin	on Thursday
Dé hAoine	on Friday
Dé Sathairn	on Saturday
Dé Domhnaigh	on Sunday

Note:

Dé is *always* followed by gen., is *never* lenited and is incorporated into noun in case of Thursday.

Usage

Dé Sathairn seo chugainn	Next Saturday
Tháinig sé anseo Dé Luain	He came here on Monday
Maidin Dé Domhnaigh	On Sunday morning
D'imigh sé maidin Dé Sathairn	He left on Saturday morning
Tiocfaidh sé Déardaoin	He will come on Thursday
Bhí sé anseo Dé Máirt seo caite	He was here last Tuesday

TEMPORAL VOCABULARY

inniu	today	
inné	yesterday	adverbs + indecl.
amárach	tomorrow	

lá masc. (gen. sg. lae, pl. laethanta)	day
oíche fem. (gen.sg. –, pl. – anta)	night
seachtain fem. (gen.sg. – e, pl. – í)	week
maidin fem. (gen.sg. – e, pl. -eacha)	morning
mí fem. (gen.sg. – osa, pl. – onna)	month
bliain fem. (gen.sg. bliana, pl. blianta)	year

To translate *next/last* – add *seo chugainn/seo caite* to designated noun: e.g.
Tiocfaidh sé/tháinig sé Dé Luain seo chugainn/seo caite
He will come/came next/last Monday

To translate *ago* – add *ó shin* to designated noun: e.g.

bliain ó shin	– a year ago
mí ó shin	– a month ago
seachtain ó shin	– a week ago

CITIES		COUNTIES (in gen. case)
Belfast	Béal Feirste	
Cork	Corcaigh	Co. *Chorcaí*
Derry	Doire	Co. *Dh*oire
Dublin	Baile Átha Cliath	Co. *Bh*aile Átha Cliath
Galway	Gaillimh	Co. *na* Gaillimhe
Limerick	Luimneach	Co. Luimnigh
Sligo	Sligeach	Co. *Sh*ligigh
Waterford	Port Láirge	Co. *Ph*ort Láirge
Wexford	Loch Garman	Co. Loch Garman
Wicklow	Cill Mhantáin	Co. *Ch*ill Mhantáin

Note:
the article occurs with the gen. form of Gaillimh.

PROVINCES

cúige *Ch*onnacht	(the Province of) Connacht
cúige Laighean	(the Province of) Leinster
cúige Mumhan	(the Province of) Munster
cúige Uladh	(the Province of) Ulster

Éire	Ireland
Sasana	England
Albain	Scotland
An Bhreatain Bheag	Wales
Na Stáit Aontaithe	The United States
An Rúis	Russia
An Fhrainc	France
An Ghearmáin	Germany
An Afraic	Africa
An Spáinn	Spain

Éire	gen. na hÉireann	dat. Éirinn
Sasana	gen. –	
Albain	gen. na hAlban	
An Bhreatain Bheag	gen. na Breataine Bige	
Na Stáit Aontaithe	gen. na Stát Aontaithe	
An Rúis	gen. na Rúise	
An Fhrainc	gen. na Fraince	
An Ghearmáin	gen. na Gearmáine	
An Afraic	gen. na hAfraice	
An Spáinn	gen. na Spáinne	

LANGUAGES

an Ghaeilge	the Irish language
an Béarla	the English language
an Bhreatnais	the Welsh language
an Rúisis	the Russian language
an Fhraincis	the French language
an Ghearmáinis	the German language
an Spáinnis	the Spanish language

Since we have not stipulated any particular sequence for the various topics covered in this book, it is impossible to provide a proper, progressive set of exercises from start to finish. Each exercise should be constructed with a view to exercising, strengthening and testing different grammatical points. Some exercises, samples of which are provided here, can be used repeatedly, with minor amendments, to practise various aspects of related grammatical points.

Example of expansion of simple exercise:
Kiss the woman/women/man/men! etc.
I/you etc. kiss the woman.
I/you etc. will/would/used to etc. kiss the woman.
He is kissing the woman/women/man/men etc.

Develop and expand these simple sentences by including: temporal adverbs e.g. now, today, yesterday etc.; location e.g. in the street; adjectives e.g. kiss the small woman etc.; preverbal particles, conjunctions etc. e.g. do not kiss the woman, he does not kiss the woman, does he kiss the woman, if he kisses the woman, when he kisses the woman etc. (with each tense). In this way, the basic, sample exercises provided invite infinite expansion and can be developed to cover virtually all the areas discussed in this book.

EXERCISE 1
Indicate whether the consonants in the following words are broad or slender:
ceap, inis, las, oileán, uan, nead, éan, náisiún, geata, im, eaglais.

EXERCISE 2
Prefix the def. art. to the following sg. nouns in the nom./acc. case:
eaglais, doras, bean, mac, teach, seilf, iníon, deifir, uan, geata, farraige, siopa, cat, nead, leabhar, tine.

EXERCISE 3

Prefix the def. art. to the correct gen. form of the following nouns:
gaoth, cistin, fear, peann, teach, máthair, bád, farraige, tine, hata, eaglais, rón, siopa, oíche, abhainn.

EXERCISE 4

Translate the following phrases which deal with the dat. case of def. nouns:
under the gate, with the pen, from the field, at the bus, out of the tree, to the shop, through the window, in the river, on the shelf, off the cat, to the lamb, before the door, past the eye.

EXERCISE 5

Translate the following phrases which contain the nom., acc. or dat. cases of the pl. def. nouns:
on the rivers, the donkeys, under the doors, past the islands, through the fields, the shops and the houses, at the fires, out of the graves, the men and the women, at the churches.

EXERCISE 6

Translate, using the correct form of the def. art. and gen. pl. of noun, the following:
of the sons, of the doors, of the nests, of the graves, of the fires, of the boots, of the nights, of the kitchens.

EXERCISE 7

Translate the following simple sentences:
He leaves the house, you kiss the woman, they drink the milk, we lift the window, you close the door, I move the pen, she praises the mother, we clean the train, you light the fire, he puts the cow out, the guard beats the teacher.

EXERCISE 8

Translate the following using the 2 sg. and pl. forms of the impv:
Leave the house! Do the work! Don't clean the kitchen! Don't eat the butter! Close the door! Kiss the man! Lift the boat! Light the fire! Don't beat the lamb! Buy the book! Don't kill the fish! Get the cow! Eat the butter! See the guard! Say the number! Do the work! Come inside! Go outside! Don't be talking!

EXERCISE 9

Translate the following def. nouns and adjs. which are in the nom./acc. case (sg.):
The small cow, the brave woman, the hot fire, the fat priest, the long night, the bold doctor, the big field, the brave teacher, the young lamb, the neutral island, the light cloth.

adv.	– adverb
conj.	– conjunction
comp.	– compound
dem.	– demonstrative
f.	– feminine
g.	– genitive
intens.	– intensive
m.	– masculine
n.	– nominative
n.	– noun
num.	– numeral
pref.	– prefix
pr.n.	– proper name
pron.	– pronoun
s.	– singular
subst.	– substantive
vb.n.	– verbal noun

VOCABULARY

A

a	voc. part. (used before nouns)		
a	rel. part.		
a	poss. adj.		his, its
a	part. (used before nos.)		
abair	vb. irreg.	vb. n. rá	say
abhaile	adv.		home(wards)
abhainn	n.f.	gs. abhann pl. aibhneacha	river
ach	conj.		but
Afraic	n.f.	gs. -e	Africa
ag	prep.		at
aghaidh	n.f.	gs. -e pl. -eanna	face
ar aghaidh	comp. prep.	(+ gen.)	in front of, opposite
agus	conj.		and
aice			
in aice	comp. prep.	(+ gen.)	near
ailtire	n.m.	gs. - pl. ailtirí	architect
aimsir	n.f.	gs. -e	weather
airigh	vb. 2	vb. n. aireachtáil	perceive, sense
Albain	n.f.	gs. Alban	Scotland
amach	adv.		out(wards)
amadán	n.m.	gs. & npl. amadáin, gpl. -	fool
amárach	adv.		tomorrow

amháin	adj., adv. & conj.		one, only
amharclann	n.f.	gs. amharclainne npl. – a, gpl. -	theatre
amuigh	adv.		out(side)
an	def. art. (sg.)		the
an	interr. part.		
an-	intens. pref.		very
anocht	adv.		tonight
anois	adv.		now
anseo	adv.		here
ansin	adv.		there
Antaine	pr.n.	gs.-	Anthony
anuraidh	adv.		last year
Aoine Dé hAoine	n.f.	gs. -, pl. Aointe	Friday
aon	n.m. num.	gs. aoin, pl. -ta	one
ar	prep.		on
ár	poss. adj.		our
arán	n.m.	gs. aráin	bread
ard	adj.	comp. airde	high
aréir	adv.		last night
arís	adv.		again
as	prep.		out (of)
asal	n.m.	gs. & npl. asail, gpl. –	donkey
athair	n.m.	gs. athar, pl. aithreacha	father
áthas	n.m.	gs. áthais	joy
athraigh	vb. 2	vb.n. athrú	change

B

bábóg	n.f.	gs. bábóige, npl. -a, gpl. -	doll

bacach	n.m.	gs. & npl. bacaigh gpl. -	beggar
bád	n.m.	gs. & npl. báid gpl. -	boat
bádóir	n.m.	gs. bádóra, pl. -í	boatman
báicéir	n.m.	gs. báicéara pl. -í	baker
baile	n.m.	gs. -, pl. bailte	home
Baile Átha Cliath			Dublin
bailigh	vb. 2	vb.n. bailiú	gather
bain	vb. 1	vb.n. baint	cut, take (off)
bainne	n.m.	gs.-	milk
bán	adj.	comp. báine	white
Barra	pr.n.m.	gs.-	Barry
beag	adj.	comp. lú	small
Béal Feirste			Belfast
bean	n.f.	gs. mná, npl. mná gpl. ban	woman
Béarla	n.m.	gs.-	English (language)
beir	vb. irreg.	vb.n. breith	bear, catch etc.
bhur	poss. adj.		your (pl.)
bí	impv. 2 sg. < verb tá		be!
bialann	n.f.	gs. bialainne npl. -a, gpl.-	restaurant
binn	adj.	comp. -e	melodious
Bláthnaid	pr.n.f.	gs.-	Florence
bliain	n.f.	gs. bliana pl. blianta	year
bó	n.f.	gs. & gpl. -, npl. ba	cow
bog	vb. 1	vb.n. bogadh	move
bogadh	vb.n.	(see bog)	moving
bos	n.f.	gs. boise, npl. -a gpl. -	palm (of hand)
bradán	n.m.	gs. & npl. bradáin gpl. -	salmon

breá	adj.	comp. -tha	fine
Breatain Bheag		gs. Breataine Bige	Wales
breathnaigh	vb. 2	vb.n. breathnú	look
Breatnais	n.f.	gs. -e	Welsh (language)
breith	vb.n.	(see beir)	bearing, catching etc.
Brian	pr.n.m.	gs. Briain	Brian
Bríd	pr.n.f.	gs. -e	Bridge
bris	vb. 1	vb.n. briseadh	break
brón	n.m.	gs. bróin	sorrow
bród	n.m.	gs. bróid	pride
buachaill	n.m.	gs. buachalla, pl. -í	boy
buail	vb. 1	vb.n. bualadh	beat
bualadh	vb.n.	(see buail)	beating
buí	adj.	comp. -	yellow
bun	n.m.	gs. buin, pl. -anna	bottom
bus	n.m.	gs. -, pl. -anna	bus

C

cá	interr. adv.		where?
cad	interr. pron.		what?
cailín	n.m.	gs. -, pl. -í	girl
caill	vb. 1	vb.n. cailleadh	lose
Cáit	pr.n.f.	gs. -	Kate
caite ...seo caite	vb.adj.	(see caith)	spent, worn last...
caith	vb. 1	vb.n. caitheamh	spend, throw, wear
canúint	n.f.	gs. canúna, pl. -í	dialect
Caoimhín	pr.n.m.	gs. -	Kevin
capall	n.m.	gs. & npl. capaill gpl. -	horse
casúr	n.m.	gs. & npl. casúir gpl. -	hammer
cat	n.m.	gs. & npl. cait gpl. -	cat

cathain	interr. adv.		when?
cé	interr. pron.		who, whom?
cén uair			when?
Céadaoin	n.f.	gs. -, pl. -eacha	Wednesday
Dé Céadaoin			
ceann	n.m.	gs. & npl. cinn	head, one
		gpl. -	
ceannach	vb.n.	(see ceannaigh)	buying
ceannaigh	vb. 2	vb.n. ceannach	buy
ceap	vb. I	vb.n. ceapadh	catch, think
ceapadh	vb.n.	(see ceap)	catching, thinking
céard	interr. pron.		what?
ceart	n.m.	gs. cirt, npl. -a	right
		gpl. -	
ceathair	num.		four
ceithre	num.	(before nouns)	four
chuig	prep.		to
chugainn			
seo chugainn			next
Cill Mhantáin			Wicklow
cionn			
os cionn	comp. prep.	(+ gen.)	above, over
cistin	n.f.	gs. -e, pl. -eacha	kitchen
ciúin	adj.	comp. -e	quiet
cláirseach	n.f.	gs. cláirsí,	harp
		npl. -a, gpl. -	
cloigeann	n.m.	gs. cloiginn,	head
		pl. cloigne	
clois	vb. irreg.	vb.n. -teáil	hear
cloisteáil	vb.n.	(see clois)	hearing
cluin	vb.irreg.	vb.n. -stin	hear
cluinstin	vb.n.	(see cluin)	hearing
codladh	n.m.	gs. codlata	sleep
i mo chodladh			asleep
(etc.)			

coinne			
i gcoinne	comp. prep.	(+ gen.)	against
coinneáil	vb.n.	(see coinnigh)	keeping
coinnigh	vb. 2	vb.n. coinneáil	keep
cóir	adj.	comp. córa	just
Colm	pr.n.m.	gs. Coilm	Colm
cónaí	vb.n.	< cónaigh	living
i mo chónaí etc.			
conas	interr. adv.		how?
Corcaigh	n.f.	gs. Corcaí	Cork
cos	n.f.	gs. coise, npl. -a, gpl. -	foot
cóta	n.m.	gs. -, pl. -í	coat
crann	n.m.	gs. & npl. crainn, gpl. -	tree
creid	vb. 1	vb.n. -iúint	believe
creidiúint	n.f.	gs. creidiúna pl. -í	credit
Críostóir	pr.n.m.	gs. Críostóra	Christopher
croch	vb. 1	vb.n. -adh	hang
cróga	adj.	comp. -	brave
cruinnigh	vb. 2	vb.n. cruinniú	gather
cuardaigh	vb. 2	vb.n. cuardach	search
cúig	num.		five
cúige	n.m.	gs. -, pl. cúigí	province
cúige			
Chonnacht			Connacht
cúige Laighean			Leinster
cúige Mumhan			Munster
cúige Uladh			Ulster
cuimhnigh	vb. 2	vb.n. cuimh- neamh	remember
cuir	vb. 1	vb.n. cur	put
cur	vb.n.	(see cuir)	putting
D			
dá	conj.		if
damhsaigh	vb. 2	vb.n. damhsa	dance

dána	adj.	comp. -	bold
dathúil	adj.	comp. dathúla	beautiful
de	prep.		from, of(f)
Dé (used with days of week e.g. Dé Luain etc.).			
déag (used with nums.)			-teen
Déaglán	pr.n.m.	gs. Déagláin	Declan
déan	vb. irreg.	vb.n. -amh	do, make
déanamh	vb.n.	(see déan)	doing, making
Déardaoin	n.m.	gs. -	Thursday
dearg	adj.	comp. deirge	red
deich	num.		ten
deifir	n.f.	gs. deifre	haste
deir	vb. irreg.	vb.n. rá	say
deirfiúr	n.f.	gs. deirféar pl. -acha	sister
deisigh	vb. 2	vb.n. deisiú	mend
dhá	num.	(used with nouns) two	
diaidh			
i ndiaidh	comp. prep.	(+ gen.)	after
Diarmaid	pr.n.m.	gs. Diarmada	Dermot
díol	vb. 1	vb.n.-	sell
do	prep.		to
do	poss. adj.		your (sg.)
dó	num.		two
dochtúir	n.m.	gs. dochtúra pl. -í	doctor
Doire	n.m.	gs.-	Derry
Domhnach	n.m.	gs. Domhnaigh pl. Domhnaí	Sunday
Dé Domhnaigh			
donn	adj.	comp. doinne	brown

doras	n.m.	gs. dorais	door
		pl. doirse	
dorcha	adj.	comp. -	dark
dubh	adj.	comp. duibhe	black
duine	n.m.	gs. duine	person
		pl. daoine	
dúiseacht	vb.n.	< dúisigh	awake
i mo dhúiseacht (etc.)			
dul	vb.n.	(see téigh)	going
dún	vb. I	vb.n. dúnadh	close
dúnadh	vb.n.	(see dún)	closing

E

é	pron.		he, him, it
éadach	n.m.	gs. éadaigh	cloth
		pl. éadaí	
éadrom	adj.	comp. éadroime	light
eagla	n.f.	gs. -	fear
eaglais	n.f.	gs. -e, pl.-í	church
éagóir	n.f.	gs. éagóra	injustice, wrong
		pl. éagóracha	
Éamann	pr.n.m.	gs. Éamainn	Eamon
éan	n.m.	gs. & npl. éin	bird
		gpl. -	
Eibhlín	pr.n.f.	gs. -	Eileen
Eilís	pr.n.f.	gs. -	Elizabeth
Éire	n.f.	gs. -ann, ds.	Ireland
		Éirinn	
éirí	vb.n.	(see éirigh)	rising
éirigh	vb. 2	vb.n. éirí	rise
éis			
tar éis	comp. prep.	(+ gen.)	after
éist	vb. I	vb.n. -eacht	listen
éisteacht	vb.n.	(see éist)	listening

F

| fada | adj. | comp. faide | long |

78

fág	vb. 1	vb.n. -áil	leave
fágáil	vb.n.	(see fág)	leaving
faigh	vb.irreg.	vb.n. fáil	get
fáil	vb.n.	(see faigh)	getting
fan	vb. 1	vb.n. -acht	wait
faoi	prep.		under
farraige	n.f.	gs. -, pl. farraigí	sea
feadh			
ar feadh	comp. prep.	(+ gen.)	during
fear	n.m.	gs. & npl. fir, gpl. -	man
fearg	n.f.	gs. feirge	anger
feic	vb.irreg.	vb.n. -eáil	see
feiceáil	vb.n.	(see feic)	seeing
feirmeoir	n.m.	gs. feirmeora, pl. -í	farmer
fiafraigh	vb. 2	vb.n. fiafraí	ask
fiche	num.		twenty
fliuch	adj.	comp. fliche	wet
focal	n.m.	gs. & npl. focail, gpl. -	word
fómhar	n.m.	gs. & npl. fómhair, gpl. -	harvest
Frainc	n.f.	gs. -e	France
Fraincis	n.f.	gs. -e	French (language)
freisin	adv.		also
fud			
ar fud	comp. prep.	(+ gen.)	during, through-out
fuinneog	n.f.	gs. fuinneoige npl. -a, gpl. -	window
fuirsigh	vb. 2	vb.n. fuirseadh	harrow
furasta	adj.	comp. fusa	easy

G

Gaeilge	n.f.	gs.-	Irish (language)
Gael	n.m.	gs. & npl. Gaeil gpl. -	Irishman
Gaillimh	n.f.	gs. -e	Galway

gaofar	adj.	comp. gaofaire	windy
gaoth	n.f.	gs. gaoithe	wind
		npl. -a, gpl. -	
garda	n.m.	gs. -, pl. -í	guard
gasúr	n.m.	gs. & npl. gasúir	boy
		gpl. -	
geal	adj.	comp. gile	bright
Gearmáin	n.f.	gs. -e	Germany
Gearmáinis	n.f.	gs. -e	German (language)
Gearóid	pr.n.m.	gs. -	Garrett
gearr	adj.	comp. giorra	short
geata	n.m.	gs. -, pl. -í	gate
glan	vb. I	vb.n. -adh	clean
glanadh	vb.n.	(see glan)	cleaning
glas	adj.	comp. glaise	green
glúin	n.f.	gs. & npl. -e	knee
		gpl. glún	
go	part.		
go	prep.		to
goid	vb. I	vb.n. -	steal
gorm	adj.	comp. goirme	blue

H
| hata | n.m. | gs. -, pl. -í | hat |
| hidrigin | n.f. | gs. -e | hydrogen |

I
i	prep.		in
í	pron.		her, she
iad	pron.		them, they
iasc	n.m.	gs. & npl. éisc, gpl. -	fish
iascaire	n.m.	gs. -, pl. iascairí	fisherman
íde	n.f.	gs. -	fate, treatment
im	n.m.	gs. -e, pl. -eanna	butter

imigh	vb. 2	vb.n. imeacht	depart, leave
imní	n.f.	gs. -	anxiety, worry
iníon	n.f.	gs. iníne, pl. -acha	daughter
inné	adv.		yesterday
inniu	adv.		today
iontas	n.m.	gs. & npl. iontais gpl. -	amazement, wonder
is	copula		am, are, is
íseal	adj.	comp. ísle	low
ispín	n.m.	gs. -, pl. -í	sausage
isteach	adv.		in(wards)
istigh	adv.		in(side)
ith	vb.irreg.	vb.n. -e	eat
ithe	vb.n.	(see ith)	eating

L

lá	n.m.	gs. lae pl. laethanta	day
lámh	n.f.	gs. láimhe npl. -a, gpl. -	hand
Laoiseach	pr.n.f.	gs. Laoisí	Lucy
lár	n.m.	gs. & npl. láir	centre, middle
i lár	comp. prep.	(+ gen.) gpl.-	in the middle of
las	vb. 1	vb.n. -adh	light
lasadh	vb.n.	(see las)	lighting
le	prep.		with
leaba	n.f.	gs. leapa, pl. leapacha	bed
leabhar	n.m.	gs. & npl. leabhair, gpl. -	book
léamh	vb.n.	< léigh	reading
léim	vb. 1	vb.n. -	jump
léim	vb.n.	(see léim)	jumping
lig	vb. 1	vb.n. -ean	let, allow
litir	n.f.	gs. litreach, pl. litreacha	letter

Loch Garman			Wexford
long	n.f.	gs. loinge, npl. -a, gpl. -	ship
Luan	n.m.	gs. Luain, pl. -ta	Monday
Dé Luain			
luath	adj.	comp. luaithe	early
luí	vb.n.	< luigh	lying
i mo luí (etc.)			
Luimneach	n.m.	gs. Luimnigh	Limerick

M

má	conj.		if
mac	n.m.	gs. & npl. mic, gpl. -	son
maidin	n.f.	gs. -e, pl. -eacha	morning
Máire	pr.n.f.	gs. -	Mary
Máirt	n.f.	gs.-, pl. -eanna	Tuesday
Dé Máirt			
maith	adj.	comp. fearr	good
maraigh	vb. 2	vb.n. marú	kill
marcach	n.m.	gs. & npl. marcaigh, gpl. -	rider
marcaigh	vb. 2	vb.n. marcaíocht	ride
marú	vb.n.	(see maraigh)	killing
máthair	n.f.	gs. máthar, pl. máithreacha	mother
mé	pron.		I, me
mí	n.f.	gs. -osa, pl. -onna	month
mín	adj.	comp. míne	smooth
mo	poss. adj.		my
móin	n.f.	gs. móna, pl. -te	turf
mol	vb. 1	vb.n. -adh	praise
moladh	vb.n.	(see mol)	praising
mór	adj.	comp. mó	big
mothaigh	vb. 2	vb.n. mothú	feel

muid	pron.		us, we
múinteoir	n.m.	gs. múinteora, pl. -í	teacher
mura	conj.		unless

N

na	def. art. (pl. & gsf.)		the
ná	neg. vb. part.	used with impv.	don't!
ná	conj.		(n)or
náire	n.f.	gs.-	shame
náisiún	n.m.	gs. & npl. náisiúin, gpl. -	nation
naoi	num.		nine
naomh	n.m.	gs. & npl. naoimh gpl. -	saint
neacht	n.f.	gs. -a, pl. -anna	niece
nead	n.f.	gs. neide, pl. -acha	nest
neodrach	adj.	comp. neodraí	neutral
ní	neg. part.		...not
níos	comp. adv.		
nó	conj.		or
nuair	rel. conj.		when

O

ó	prep.		from
obair	n.f.	gs. oibre, pl. oibreacha	work
ocht	num.		eight
ocras	n.m.	gs. ocrais	hunger
óg	adj.	comp. óige	young
oibrí	n.m.	gs. -, pl. oibrithe	worker
oibrigh	vb. 2	vb.n. oibriú	work
oíche	n.f.	gs. -, pl. -anta	night
oileán	n.m.	gs. & npl. oileáin, gpl. -	island

oinniún	n.m.	gs. & npl. oinniúin, gpl. -	onion
ól	vb. I	vb.n. -	drink
ól	vb. n.	(see ól)	drinking
olc	adj.	comp. measa	bad
ór	n.m.	gs. óir	gold
orlach	n.m	gs. orlaigh, pl. orlaí	inch

P

Pádraig	pr.n.m.	gs. -	Patrick
páirc	n.f.	gs. -e, pl. -eanna	field
peann	n.m.	gs. & npl. pinn, gpl.-	pen
pearsanta	adj.	comp. -	personal
pláta	n.m.	gs. -, pl. -í	plate
póg	vb. I	vb.n. -adh	kiss
pógadh	vb.n.	(see póg)	kissing
Port Láirge			Waterford

R

rá	vb.n.	(see deir)	saying
ramhar	adj.	comp. raimhre	fat
ré	n.f.	gs. -, pl. -anna	moon
riail	n.f.	gs. rialach, pl. rialacha	rule
rialaigh	vb. 2	vb.n. rialú	rule
riamh	adv.		(n)ever
rith	vb. I	vb.n. -	run
rith	vb.n.	(see rith)	running
i rith	comp. prep.	(+ gen.)	during
ró-	pref.		too
roimh	prep.		before
Róis	pr.n.f.	gs. -e	Rose
rón	n.m.	gs. róin, pl. -ta	seal
rós	n.m.	gs. róis, pl. -anna	rose

Rúis	n.f.	gs. -e	Russia
Rúisis	n.f.	gs. -e	Russian (language)

S

sábháil	vb. I	vb.n. -	save
sagart	n.m.	gs. & npl. sagairt, gpl. -	priest
saighdiúir	n.m.	gs. saighdiúra, pl. -í	soldier
saolta	adj.	comp. -	worldly
Sasana	n.m.	gs. -	England
Satharn	n.m.	gs. & npl. Sathairn,	Saturday
Dé Sathairn		gpl. -	
sclábhaí	n.m.	gs. -, pl. sclábhaithe	slave
scríobh	vb. I	vb.n. -	write
scríobh	vb.n.	(see scríobh)	writing
sé	pron.		he, it
sé	num.		six
seacht	num.		seven
seachtain	n.f.	gs. -e, pl. -í,	week
Séamas	pr.n.m.	gs. Séamais	James
Seán	pr.n.m.	gs. Seáin	John
seasamh	vb.n.	< seas	standing
i mo sheasamh (etc.)			
seilf	n.f.	gs. -e, pl. -eanna	shelf
seo	dem. pron.		this
sí	pron.		she, it
siad	pron.		they
sibh	pron.		you (pl.)
sin	dem. pron.		that
ó shin			ago
sín	vb. I	vb.n. -eadh	stretch
sinn	pron.		us, we

85

Siobhán	pr.n.f.	gs. -	Susan
siopa	n.m.	gs. -, pl. -í	shop
siúinéir	n.m.	gs. siúinéara pl. -í	carpenter
Sligeach	n.m.	gs. Sligigh	Sligo
smaoineamh	vb.n.	(see smaoinigh)	thinking
smaoinigh	vb. 2	vb.n. smaoineamh	think
Sorcha	pr.n.f.	gs. -	Sarah
Spáinn	n.f.	gs. -e	Spain
Spáinnis	n.f.	gs. -e	Spanish (language)
stad	vb. 1	vb.n. -	stop
Stáit Aontaithe		gpl. Stát Aontaithe	United States
stop	vb.1	vb.n. -adh	stop
stopadh	vb.n.	(see stop)	stopping
suí	vb.n.	< suigh	sitting
i mo shuí (etc.)			
súil	n.f.	gs. & npl. -e, gpl. súl	eye
sula	conj.		before

T

tá	subst. vb.		am, are, is
tabhair	vb.irreg.	vb.n. -t	give
tabhairt	vb.n.	(see tabhair)	giving
tae	n.m.	gs. -, pl. -nna	tea
tar	vb.irreg.	vb.n. teacht	come
tart	n.m.	gs. -a	thirst
te	adj.	comp. -o	hot
teach	n.m.	gs. tí, pl. tithe	house
teacht	vb.n.	(see tar)	coming
téigh	vb.irreg.	vb.n. dul	go
teith	vb. 1	vb.n. -eadh	flee
teitheadh	vb.n.	(see teith)	fleeing
thar	prep.		beyond, over, past
tine	n.f.	gs.-, pl. tinte	fire

tinneas	n.m.	gs. & npl. tinnis, gpl. -	sickness
tit	vb. I	vb.n. -im	fall
tóg	vb. I	vb.n. -áil	lift
tógáil	vb.n.	(see tóg)	lifting
Tomás	pr.n.m.	gs. Tomáis	Thomas
tosaigh	vb. 2	vb.n. tosú	begin
traein	n.f.	gs. traenach, pl. traenacha	train
trí	prep.		through
trí	num.		three
tú	pron.		you (sg.)
tuig	vb. I	vb.n. tuiscint	understand

U

uafar	adj.	comp. uafaire	horrible
uaigh	n.f.	gs. -e, pl. -eanna	grave
uair	n.f.	gs. -e, pl. -eanta pl. with nums. -e	hour
uan	n.m.	gs. & npl. uain, gpl. -	lamb
uimhir	n.f.	gs. uimhreach, pl. uimhreacha	number
uisce	n.m.	gs. -, pl. uiscí	water
um	prep.		about, at
Úna	pr.n.f.	gs. -	Unity
uncail	n.m.	gs. -, pl. -í	uncle

V

veain	n.f.	gs. -, pl. -eanna	van
vóta	n.m.	gs. -, pl. -í	vote

VOCABULARY

before (prep.)	roimh
before (conj.)	sula
beggar	bacach
begin	tosaigh
Belfast	Béal Feirste
believe	creid
beyond	thar
big	mór
bird	éan
black	dubh
blue	gorm
boat	bád
boatman	bádóir
bold	dána
book	leabhar
bottom	bun
boy	buachaill, gasúr
brave	cróga
bread	arán
break	bris
Brian	Brian
Bridge	Bríd
bright	geal
brown	donn
bus	bus
but	ach
butter	im
buy, buying	ceannaigh, ceannach

C

carpenter	siúinéir
cat	cat
catch, catching	beir, breith/ceap, ceapadh
change	athraigh
Christopher	Críostóir
church	eaglais

clean, cleaning	glan, glanadh
close, closing	dún, dúnadh
cloth	éadach
coat	cóta
collect	bailigh, cruinnigh
Colm	Colm
come, coming	tar, teacht
Connacht	cúige Chonnacht
Cork	Corcaigh
cow	bó
credit	creidiúint
cut	bain

D

dance	damhsaigh
dark	dorcha
daughter	iníon
day	lá
Declan	Déaglán
depart	imigh
Dermot	Diarmaid
Derry	Doire
dialect	canúint
do, doing	déan, déanamh
doctor	dochtúir
doll	bábóg
donkey	asal
don't	ná
door	doras
drink, drinking	ól, ól
Dublin	Baile Átha Cliath
during	ar feadh, ar fud, i rith

E

Eamon	Éamann

early	luath
easy	furasta
eat, eating	ith, ithe
eight	ocht
Elizabeth	Eilís
England	Sasana
English (language)	Béarla
Eveleen	Eibhlín
ever	riamh
eye	súil

F

fall	tit
farmer	feirmeoir
fat	ramhar
fate	íde
father	athair
fear	eagla
feel	mothaigh
field	páirc
fine	breá
fire	tine
fish	iasc
fisherman	iascaire
five	cúig
flee, fleeing	teith, teitheadh
Florence	Bláthnaid
fool	amadán
foot	cos
four	ceathair, ceithre
France	an Fhrainc
French (language)	Fraincis
Friday	Aoine, Dé hAoine
from	de, ó

G

Galway	Gaillimh
Garrett	Gearóid
gate	geata
gather	bailigh, cruinnigh
German (language)	Gearmáinis
Germany	an Ghearmáin
get, getting	faigh, fáil
get up, getting up	éirigh, éirí
girl	cailín
give, giving	tabhair, tabhairt
go, going	téigh, dul
gold	ór
good	maith
grave	uaigh
green	glas
guard	garda

H

hammer	casúr
hand	lámh
hang	croch
harp	cláirseach
harrow	fuirsigh
haste	deifir
hat	hata
he	é, sé
head	ceann, cloigeann
hear, hearing	clois, cloisteáil/cluin, cluinstin
her (poss. adj.)	a
her (pron.)	í
here	anseo
high	ard
him	é
his	a
home	baile, abhaile, sa bhaile

honest	cóir
horrible	uafar
horse	capall
hot	te
hour	uair
house	teach
how	conas
hunger	ocras
hurry	deifir
hydrogen	hidrigin

I

I	mé
if	dá, má
in	i
inch	orlach
injustice	éagóir
in(side)	istigh
in(wards)	isteach
Ireland	Éire
Irish (language)	Gaeilge
Irishman	Gael
is	is, tá
island	oileán
it	é, sé/í, sí

J

James	Séamas
John	Seán
joy	áthas
jump, jumping	léim, léim
just	cóir

K

Kate	Cáit
keep, keeping	coinnigh, coinneáil

Kevin	Caoimhín
kill, killing	maraigh, marú
kiss, kissing	póg, pógadh
kitchen	cistin
knee	glúin

L

lamb	uan
last	seo caite
last year	anuraidh
last night	aréir
lay, laying	beir, breith
leave, leaving	fág, fágáil, imigh
Leinster	cúige Laighean
let	lig
letter	litir
lift, lifting	tóg, tógáil
light, lighting	las, lasadh
light (adj.)	éadrom
Limerick	Luimneach
listen, listening	éist, éisteacht
living	i mo chónaí (etc.)
long	fada
look	breathnaigh
lose	caill
low	íseal
Lucy	Laoiseach
lying	i mo luí (etc.)

M

make, making	déan, déanamh
man	fear
Mary	Máire
me	mé
melodious	binn
mend	deisigh
middle	i lár

milk	bainne
Monday	Luan, Dé Luain
month	mí
moon	ré
morning	maidin
mother	máthair
move, moving	bog, bogadh
Munster	cúige Mumhan
my	mo

N

nation	náisiún
near	in aice
nest	nead
neutral	neodrach
never	riamh
next	seo chugainn
niece	neacht
night	oíche
(last) night	aréir
nine	naoi
nor	ná
now	anois
number	uimhir

O

of(f)	de
on	ar
one	aon, ceann, amháin
onion	oinniún
opposite	ar aghaidh
or	nó
our	ár
out (of)	as
out(side)	amuigh
out(wards)	amach

over	os cionn, thar

P

palm (of hand)	bos
past	thar
Patrick	Pádraig
pen	peann
perceive	airigh
person	duine
personal	pearsanta
plate	pláta
praise, praising	mol, moladh
pride	bród
priest	sagart
province	cúige
put, putting	cuir, cur

Q

quiet	ciúin

R

reading	léamh
red	dearg
remember	cuimhnigh
restaurant	bialann
ride	marcaigh
rider	marcach
right	ceart
rise, rising	éirigh, éirí
river	abhainn
rose	rós
Rose	Róis
rule	riail
rule	rialaigh
run, running	rith, rith
Russia	an Rúis

Russian (language)	Rúisis

S

saint	naomh
salmon	bradán
Sarah	Sorcha
Saturday	Satharn, Dé Sathairn
sausage	ispín
save	sábháil
say, saying	deir, rá
Scotland	Albain
sea	farraige
seal	rón
search	cuardaigh
see, seeing	feic, feiceáil
sell	díol
sense	airigh
seven	seacht
shame	náire
she	í, sí
shelf	seilf
ship	long
shop	siopa
short	gearr
sickness	tinneas
sister	deirfiúr
sitting	i mo shuí (etc.)
six	sé
slave	sclábhaí
sleep	codladh
sleeping	i mo chodladh (etc.)
Sligo	Sligeach
small	beag
smooth	mín
soldier	saighdiúir
son	mac

sorrow	brón
Spain	an Spáinn
Spanish (language)	Spáinnis
spend	caith
standing	i mo sheasamh (etc.)
steal	goid
stop	stad
stop, stopping	stop, stopadh
stretch	sín
Sunday	Domhnach, Dé Domhnaigh
Susan	Siobhán

T

take (off)	bain
tea	tae
teacher	múinteoir
-teen	déag
ten	deich
than	ná
that	sin
that	go
the	an (sg.), na (pl.)
theatre	amharclann
their	a
them	iad
there	ansin
they	iad, siad
think, thinking	ceap, ceapadh
	smaoinigh, smaoineamh
thirst	tart
this	seo
Thomas	Tomás
three	trí
through	trí
throughout	ar fud
throw	caith

Thursday	Déardaoin
to	chuig, chun, do, go
today	inniu
tomorrow	amárach
tonight	anocht
too	ró-
train	traein
treatment	íde
tree	crann
Tuesday	Máirt, Dé Máirt
turf	móin
twenty	fiche
two	dó, dhá

U

Ulster	cúige Uladh
uncle	uncail
under	faoi
understand	tuig
United States, the	na Stáit Aontaithe
Unity	Úna
unless	mura
us	muid, sinn

V

van	veain
very	an-
vote	vóta

W

wait	fan
Wales	an Bhreatain Bheag
water	uisce
Waterford	Port Láirge
we	muid, sinn
wear	caith

weather	aimsir
Wednesday	Céadaoin, Dé Céadaoin
week	seachtain
wet	fliuch
Wexford	Loch Garman
what?	cad?, céard?
when	nuair
when?	cathain?, cén uair?
where?	cá?
which?	cén? (sg.), cé na? (pl.)
white	bán
who?	cé?
Wicklow	Cill Mhantáin
wind	gaoth
window	fuinneog
windy	gaofar
with	le
woman	bean
wonder	iontas
word	focal
work	obair
work	oibrigh
worker	oibrí
worldly	saolta
worry	imní
write, writing	scríobh, scríobh
wrong	éagóir

Y

year	bliain
(last) year	anuraidh
yellow	buí
yesterday	inné
young	óg
you	tú (sg.), sibh (pl.)
your	do (sg.), bhur (pl.)